12/15

CUNARD

THE MOST FAMOUS OCEAN LINERS IN THE WORLD™

Philip Roth
Nemesis

Roman

Aus dem Amerikanischen von
Dirk van Gunsteren

Carl Hanser Verlag

Die amerikanische Originalausgabe erschien 2010
unter dem Titel *Nemesis* bei Houghton Mifflin in Boston.

I'll Be Seeing You. Musik und Text: Sammy Fain/Irving Kahal
© 1938 by Marlo Music Corp.
Rechte für Deutschland, Österreich, Schweiz:
EMI Music Publishing Germany GmbH.

4 5 6   15 14 13 12 11

ISBN 978-3-446-23642-4
Alle Rechte der deutschen Ausgabe
© Carl Hanser Verlag München 2011
Satz: Satz für Satz. Barbara Reischmann, Leutkirch
Druck und Bindung: CPI – Ebner & Spiegel, Ulm
Printed in Germany

Für H. L.

1 Äquatorial-Newark

DEN ERSTEN POLIOFALL in jenem Sommer gab es Anfang Juni, kurz nach dem Memorial Day, in einem armen italienischen Viertel auf der anderen Seite der Stadt. In unserem jüdischen Viertel Weequahic im Südwesten von Newark hörten wir nichts davon, ebensowenig wie von dem nächsten Dutzend Fälle, die in praktisch allen Vierteln außer unserem auftraten. Erst nach dem 4. Juli, als es bereits vierzig waren, erschien auf der Titelseite der Abendzeitung ein Artikel mit der Überschrift »Gesundheitsamt warnt Eltern vor Polio«, in dem Dr. William Kittell, der Leiter des Gesundheitsamtes, Eltern aufforderte, ein Auge auf ihre Kinder zu haben und unverzüglich einen Arzt aufzusuchen, wenn ein Kind Symptome wie Kopfschmerzen, Halsschmerzen, Übelkeit, Nackenstarre, Gelenkschmerzen oder Fieber zeigte. Er räumte zwar ein, dass vierzig Fälle so früh im Sommer mehr als doppelt so viel seien wie sonst, betonte jedoch, angesichts einer Einwohnerzahl von 429000 könne man keineswegs von einer Poliomyelitis-Epidemie sprechen. In diesem wie in jedem anderen Sommer gelte es, achtsam zu sein und angemessene hygienische Vorbeugungsmaßnahmen zu treffen, doch bestehe noch kein Grund zu einer »durchaus verständlichen« Unruhe wie vor achtundzwanzig Jahren. Damals war es zu der größten bekannten Epidemie dieser Krankheit gekommen: Bei der Poliowelle, die 1916 durch den Nordosten der Vereinigten Staaten gegangen war, hatte es über 27000 Fälle und 6000 Tote gegeben, in Newark allein 1360 Fälle und 363 Tote.

Selbst in einem Jahr mit einer durchschnittlichen Anzahl von Infektionen, in dem das Risiko einer Ansteckung weit kleiner war als 1916, bereitete eine Krankheit, die bewirken konnte, dass Kinder gelähmt und ihr Leben lang behindert blieben oder nicht imstande waren, außerhalb eines als »Eiserne Lunge« bekannten Metallapparats zu atmen, eine Krankheit, die manchmal durch Lähmung der Atemmuskulatur unausweichlich zum Tod führte, den Eltern in unserem Viertel täglich erhebliche Sorgen. Auch den Kindern, die den Sommer über schulfrei hatten und den ganzen Tag bis in die lang anhaltende Dämmerung hinein draußen spielen konnten, verdarb sie die Ferienstimmung. Die Angst vor den schlimmen Folgen einer Ansteckung mit Polio wurde zusätzlich verstärkt durch die Tatsache, dass es keine wirksame Behandlung gab und ein Impfstoff, der zuverlässigen Schutz geboten hätte, noch nicht gefunden war. Polio – oder Kinderlähmung, wie die Krankheit genannt wurde, als man dachte, sie befalle in erster Linie Kleinkinder – konnte aus heiterem Himmel jeden treffen. Obwohl hauptsächlich Kinder unter sechzehn darunter litten, konnten sich auch Erwachsene infizieren, wie zum Beispiel der Präsident der Vereinigten Staaten.

Franklin Delano Roosevelt, das berühmteste Polio-Opfer, hatte sich die Krankheit als kräftiger, gesunder Mann von neununddreißig Jahren zugezogen. Er konnte ohne fremde Hilfe nicht gehen, und selbst dann brauchte er schwere Beinschienen aus Stahl und Leder, die von der Hüfte bis zu den

Füßen reichten. Die von ihm ins Leben gerufene Hilfsorganisation »March of Dimes«, die »Pfennigparade«, sammelte Geld für die Forschung und die Unterstützung betroffener Familien; obgleich in einigen Fällen eine teilweise oder sogar vollständige Genesung möglich war, erfolgte sie meist erst nach monate- oder jahrelangen teuren Krankenhausaufenthalten mit Therapie- und Rehabilitationsmaßnahmen. Einmal im Jahr, während der Aktionswoche, spendeten Amerikas Kinder in den Schulen ihr Kleingeld für den Kampf gegen diese Krankheit, sie steckten die Münzen in die Sammelbüchsen, die von den Platzanweiserinnen in den Kinos durch die Reihen geschickt wurden, und in den Büros, Läden und Schulkorridoren im ganzen Land hingen Plakate, die verkündeten: »Auch du kannst helfen!« und »Hilf, Kinderlähmung zu bekämpfen!« – Plakate mit dem Bild eines niedlichen kleinen Mädchens mit Beinschienen, das schüchtern am Daumen lutschte, oder eines hübschen, tapferen, heldenhaft lächelnden Jungen im Rollstuhl –, und die Gefahr, diese unheilbare Krankheit zu bekommen, in den Augen der gesunden Kinder nur um so realer und beängstigender erscheinen ließen.

Newark lag nicht weit über dem Meeresspiegel, und die Sommer waren schwül. Weil die Stadt teilweise von ausgedehntem, sumpfigem Marschland umgeben war – einer der Hauptgründe für das Auftreten von Malaria in jener Zeit, als auch sie eine unheilbare Krankheit gewesen war –, mussten wir uns ganzer Schwärme von Moskitos erwehren, wenn wir uns abends in Gassen und Einfahrten auf Gartenstühle setzten, um der stickigen Wärme unserer Wohnungen zu entkommen, wo man die mörderische Hitze nur mit einer kalten Dusche und Eiswasser mildern konnte. Damals gab es noch keine Klimaanlagen für den privaten Gebrauch, und der kleine schwarze Ventilator, der auf einem Tisch stand und die Luft im Zimmer in Bewegung hielt, brachte bei Temperaturen über fünfunddreißig Grad, die in jenem Sommer häufig auftraten und dann eine Woche oder gar zehn Tage lang anhielten, kaum Linderung. Draußen zündete man Zitronellenkerzen an und versprühte Insektenvertilgungsmittel, um die Moskitos und die Fliegen auf Abstand zu halten, die Malaria, Gelbfieber und Typhus übertrugen und von vielen für die Krankheitsüberträger der Polio gehalten wurden, so auch von Newarks Bürgermeister Drummond, der eine »Tod den Fliegen«-Kampagne ins Leben rief. Wenn es einer Fliege oder Mücke trotz der Fliegengitter gelang, durch eine offene Tür ins Haus zu schlüpfen, so wurde sie mit Fliegenklatsche und Insektenspray unbarmherzig zur Strecke gebracht, denn man fürchtete, sie bräuchte mit ihren von Keimen wimmelnden Beinen nur auf einem der schlafenden Kinder zu landen, um es mit Polio zu infizieren. Da damals noch niemand den Übertragungsweg kannte, war man misstrauisch gegenüber allem und jedem – das galt auch für die streunenden Katzen, die sich über unsere Mülltonnen hermachten, oder die herrenlosen Hunde, die ihr Geschäft mitten auf dem Bürgersteig verrichteten, und die Tauben, die gurrend auf den Giebeln der Häuser saßen und unsere Vortreppen beschmutzten. Um die Krankheit einzudämmen, ließ das Gesundheitsamt nach den ersten aufgetretenen Fällen und noch bevor amtlich festgestellt worden war, dass es sich um eine Epidemie handelte, systematisch die überaus zahlreichen streunenden Katzen töten, obgleich niemand wusste, ob sie mit der Ausbreitung der Polio mehr zu tun hatten als Hauskatzen.

Man wusste nur, dass die Krankheit hochansteckend war und schon durch körperliche Nähe zu bereits infizierten Menschen übertragen werden konnte. Als die Fälle – und damit die allgemeine Angst – in der Stadt stetig zunahmen, wurde es daher den Kindern in unserer Nachbarschaft von den Eltern verboten, zum Freibad im Olympic Park im nahegelegenen Irvington zu gehen; verboten waren die »gekühlten« Kinos, verboten war es, mit dem Bus in die Innenstadt zu fahren oder zur Wilson Avenue zu gehen, um unsere Baseballmannschaft, die Newark Bears, im Ruppert Stadium spielen zu sehen. Man warnte uns eindringlich davor, öffentliche Toiletten zu benutzen, unseren Durst an öffentlichen Trinkbrunnen zu löschen, einen Schluck aus der Sodaflasche eines anderen zu nehmen, uns der Zugluft auszusetzen, mit Fremden zu spielen, ein Buch aus der Bibliothek auszuleihen, ein Münztelefon zu benutzen, bei Straßenhändlern etwas zu essen zu kaufen oder irgendetwas zu verzehren, ohne zuvor unsere Hände mit Seife und Bürste gründlich gereinigt zu haben. Wir mussten alles Obst und Gemüse vor dem Essen waschen und Abstand zu jedem halten, der einen kranken Eindruck machte oder über eines der verräterischen Poliosymptome klagte.

Als beste Vorbeugungsmaßnahme gegen Polio galt, die Kinder aus der Hitze der Stadt in ein Sommercamp in den Bergen oder auf dem Land zu schicken. Eine andere Möglichkeit war, sie den Sommer etwa hundert Kilometer entfernt an der Küste von New Jersey verbringen zu lassen. Familien, die sich das leisten konnten, mieteten ein Zimmer mit Kochgelegenheit in einer Pension in Bradley Beach, einem kaum eineinhalb Kilometer langen Dorf mit Strand und Promenade, das seit Jahrzehnten eine beliebte Sommerfrische jüdischer Familien im

Norden von New Jersey war. Dort konnten die Mutter und ihre Kinder an den Strand gehen und die ganze Woche lang die frische, kräftigende Seeluft atmen, und an den Wochenenden und Feiertagen gesellte sich dann der Vater zu ihnen. Natürlich gab es auch in Sommercamps oder kleinen Küstenorten Poliofälle, doch weil sie nicht annähernd so zahlreich waren, glaubte man allgemein, die Stadt mit ihren schmutzigen Straßen und der stickigen Luft begünstige eine Ansteckung, während ein Aufenthalt in Sicht- oder Hörweite des Meers, auf dem Land oder in den Bergen die bestmögliche Garantie gegen eine Erkrankung der Kinder darstelle.

Und so fuhren die Glücklichen, Privilegierten den Sommer über fort, und der Rest von uns blieb in der Stadt und tat – angesichts der Tatsache, dass »Überanstrengung« im Verdacht stand, eine der möglichen Ursachen der Krankheit zu sein –, genau das, was wir eigentlich nicht tun sollten: Wir spielten auf dem heißen Asphalt des Sportplatzes ein Baseball-Spiel nach dem anderen, rannten den ganzen Tag in der Gluthitze herum, tranken durstig von dem verbotenen Trinkbrunnen, saßen zwischen den Innings dicht gedrängt mit den anderen auf einer Bank, auf dem Schoß die abgewetzten Baseballhandschuhe, mit denen wir uns während des Spiels den Schweiß von der Stirn wischten, damit er uns nicht in die Augen rann, sprangen und alberten in unseren verschwitzten Polohemden und stinkenden Turnschuhen herum und dachten für den Augenblick nicht daran, dass dieses ausgelassene Rennen in der Sommerhitze für jeden von uns mit lebenslanger Gefangenschaft in einer eisernen Lunge enden konnte, womit sich die schrecklichsten Ängste bewahrheiten würden, die ein Körper nur haben kann.

Nur etwa ein Dutzend Mädchen kam zum Sportplatz, Acht- oder Neunjährige, die meist dort, wo das Baseballfeld zu einer kleinen, für den Verkehr gesperrten Straße neben der Schule abfiel, seilsprangen. Oft spielten sie auf der Straße Himmel und Hölle oder Fangen oder warfen sich stundenlang einen rosaroten Gummiball zu. Manchmal, wenn sie beim Seilspringen zwei Seile gegenläufig wirbeln ließen, rannte ein Junge ungebeten hinzu, schubste das Mädchen, das gerade springen wollte, beiseite und hüpfte selbst in die Seile, wobei er spottend den Singsang nachäffte, den die Mädchen beim Springen aufsagten, und sich absichtlich in den Seilen verheddderte. »N, ich heiße Nilpferd …« Dann schrien die Mädchen: »Hör auf! Hör auf!«, und riefen nach dem Lehrer, der die Aufsicht hatte. Der brauchte dem Störenfried (meist war es derselbe) von dort, wo er gerade war, nur zuzurufen: »Lass das, Myron! Wenn du die Mädchen nicht in Ruhe lässt, musst du nach Hause gehen!« Damit war die Störung dann beendet, und bald schwangen die Seile wieder durch die Luft, und eine Seilspringerin nach der anderen sagte ihren Vers auf:

A, ich heiße Agnes,
Und mein Mann, der heißt Alphonse,
Wir kommen aus Alabama
Und bringen Aprikosen mit.

B, ich heiße Bertha,
Und mein Mann, der heißt Bernard,
Wir kommen von den Bermudas
Und bringen Bälle mit.

C, ich heiße …

Die Mädchen am Ende des Sportplatzes improvisierten sich mit ihren Kinderstimmen durch das ganze Alphabet von A bis Z und wieder zurück, wobei die Substantive in jedem Vers mit demselben Buchstaben beginnen mussten, was manchmal nur mit grotesken Wortentstellungen möglich war. Aufgeregt rannten und sprangen sie umher – außer wenn Myron Kopferman oder seinesgleichen ihr Spiel rüde störte – und legten eine erstaunliche Energie an den Tag; wenn sie nicht von der Aufsicht aufgefordert wurden, sich aus der Hitze in den Schatten des Schulgebäudes zurückzuziehen, spielten sie auf der kleinen Straße, von dem Freitag im Juni, an dem das Schuljahr endete, bis zum ersten Dienstag im September, an dem das nächste begann und sie nur noch in den Pausen und nach der Schule seilspringen konnten.

Die Ferienaufsicht über den Sportplatz hatte in jenem Jahr Bucky Cantor, der, weil er wegen seiner starken Kurzsichtigkeit dicke Brillengläser brauchte, einer der sehr wenigen jungen Männer in unserem Viertel war, die nicht in den Krieg gezogen waren. Im vergangenen Schuljahr war Mr. Cantor als neuer Sportlehrer an die Chancellor Avenue School gekommen, und daher kannte er viele von uns, die sich im Sommer regelmäßig auf dem Sportplatz einfanden, schon vom Sportunterricht. Er war dreiundzwanzig und hatte Newarks South Side Highschool für weiße und schwarze Kinder aller Religionszugehörigkeiten besucht und danach am Panzer College für Sport und Hygiene in East Orange studiert. Er war nur knapp eins siebzig groß, und obwohl er ein überragender Sportler und ernstzunehmender Gegner war, hatten seine geringe Körpergröße und seine Kurzsichtigkeit ihn gehindert, in der Football-, Baseball- oder Basketballmannschaft des Colleges zu spielen und seine Wettkampfteilnahme auf die Disziplinen Speerwerfen und Gewichtheben beschränkt. Auf seinem kompakten Körper saß ein ziemlich großer, scharf konturierter Kopf, der ausschließlich aus schrägen Linien und Flächen zu bestehen schien: ausgeprägte Wangenknochen, ein wuchtiges Kinn und eine lange, gerade Nase mit markantem, kräftigem Rücken, die seinem Profil die Schärfe einer auf eine Münze geprägten Silhouette verlieh. Seine vollen Lippen hatten so klare Konturen wie die Muskeln, und seine Haut hatte das ganze Jahr über einen leichten Bronzeton. Seit seiner Jugend trug er das dunkle Haar militärisch kurz geschnitten. Dadurch fielen einem seine Ohren auf, nicht weil sie besonders groß gewesen wären und nicht unbedingt weil sie so dicht am Schädel anlagen, sondern weil sie, von der Seite betrachtet, große Ähnlichkeit mit einem Pik As oder den Flügeln an den Füßen des Götterboten Hermes hatten: Sie waren oben nicht gerundet wie bei den meisten Menschen, sondern liefen beinahe spitz zu. Bevor sein Großvater ihn Bucky getauft hatte, war er von seinen Spielkameraden Ace genannt worden – ein Spitzname, der sich nicht nur auf seine überragenden sportlichen Leistungen, sondern auch auf die ungewöhnliche Form seiner Ohren bezog.

Durch die schrägen Flächen seines Gesichts wirkten die grauen Augen hinter den Brillengläsern – Augen, die schmal waren wie die eines Asiaten –, als lägen sie tief in den Höhlen, als wären sie gleichsam Krater in seinem Schädel. Die Stimme, die von diesem scharf geschnittenen, durch klare Linien definierten Gesicht ausging, war überraschend hoch, doch das tat der Kraft seiner Erscheinung keinen Abbruch. Es war das robuste, wie aus Eisen gegossene und auffallend kühne Gesicht eines starken jungen Mannes, auf den Verlass war.

Eines Nachmittags Anfang Juli bogen zwei Wagen voller Italiener, fünfzehn- bis achtzehnjährige Schüler der East Side Highschool, in die kleine Straße hinter der Schule ein und parkten an ihrem Ende, dort, wo der Sportplatz war. Die East Side Highschool befand sich in einem heruntergekommenen Arbeiterviertel namens Ironbound, in dem es bis dahin die meisten Poliofälle gegeben hatte. Sobald Mr. Cantor sie sah, ließ er seinen Fanghandschuh fallen – er stand bei einem unserer improvisierten Baseballspiele am Third Base – und ging zum Sportplatzeingang, wo sich die zehn fremden Jungen aufgebaut hatten. Sein athletischer, zielstrebiger, federnder Gang mit leicht einwärts gekehrten Zehen und die Art, wie er dabei die breiten Schultern wiegte, wurden bereits von zahlreichen Jungen auf dem Sportplatz nachgeahmt. Manche Jungen bemühten sich, beim Spiel und anderswo genau dieselbe Haltung einzunehmen wie er.

»Was wollt ihr hier?«, fragte Mr. Cantor.

»Kinderlähmung verbreiten«, erwiderte derjenige, der mit großspurigen Bewegungen als erster ausgestiegen war. »Stimmt's?«, sagte er und stolzierte vor seinen Kumpanen auf und ab, die, wie es Mr. Cantor schien, nur darauf warteten, einen Streit anzufangen.

»Ihr seht eher so aus, als wolltet ihr Ärger machen. Warum verschwindet ihr nicht?«

»Nein, nein«, sagte der Italiener, »erst müssen wir ein bisschen Kinderlähmung verbreiten. Wir haben sie und ihr nicht, also sind wir zu dem Schluss gekommen, dass wir sie verbreiten müssen.« Er wippte die ganze Zeit auf den Absätzen vor und zurück, um zu zeigen, was für ein harter Bursche er war. Die lässig in die beiden vorderen Gürtelschlaufen seiner Hose gehakten Daumen drückten ebenso wie sein Gesicht Verachtung aus.

»Ich habe hier die Aufsicht«, sagte Mr. Cantor und wies mit dem Daumen über seine Schulter auf uns, »und ich fordere euch auf, vom Sportplatz zu verschwinden. Ihr habt hier nichts zu suchen, und ich fordere euch höflich auf zu gehen. Also?«

»Seit wann ist es verboten, Kinderlähmung zu verbreiten, Herr Aufseher?«

»Pass auf, das ist nicht witzig. Kinderlähmung ist kein Witz. Und es gibt ein Gesetz gegen Erregung öffentlichen Ärgernisses. Ich will nicht die Polizei rufen müssen. Wie wär's, wenn ihr verschwinden würdet, bevor ich die Polizei anrufe, damit die sich um euch kümmert?«

Der Anführer, der gut einen halben Kopf größer war als Mr. Cantor, trat einen Schritt vor und spuckte Mr. Cantor vor die Füße. Nur Zentimeter von seinen Turnschuhen entfernt war ein zähflüssiger runder Fleck.

»Was soll das?«, fragte Mr. Cantor. Seine Stimme war noch immer ruhig, und mit seinen vor der Brust verschränkten Armen und seiner breiten, muskulösen Statur war er die Verkörperung einer Barrikade. Kein Schläger aus Ironbound würde an ihm vorbei und in die Nähe der Kinder kommen.

»Hab ich doch gesagt: Wir bringen euch Kinderlähmung. Wir wollen nicht, dass eure Leute leer ausgehen.«

»Dies Gequatsche von ›ihr hier‹ kannst du dir sparen«, sagte Mr. Cantor scharf und trat rasch einen Schritt vor, so dass sein Gesicht nur Zentimeter von dem des anderen entfernt war. »Ich gebe euch zehn Sekunden, dann seid ihr verschwunden.«

Der Italiener lächelte. Er lächelte, seit er aus dem Wagen ausgestiegen war. »Und wenn nicht – was machst du dann?«

»Was ich eben gesagt habe. Ich hole die Polizei, damit die dafür sorgt, dass ihr verschwindet und nicht mehr wiederkommt.«

Der Anführer spuckte abermals aus, diesmal knapp neben Mr. Cantors Schuh, und Mr. Cantor rief nach dem Jungen, der bei unserem Spiel gerade als Batter dran war und, wie wir alle, zusah, wie Mr. Cantor sich zehn Italienern entgegenstellte: »Jerry, lauf in mein Büro und ruf die Polizei an. Sag ihnen, du rufst in meinem Namen an, und sie sollen so schnell wie möglich kommen.«

»Und was sollen die dann tun? Mich einsperren?«, fragte der Anführer der Italiener. »Weil ich auf euren kostbaren Bürgersteig gespuckt hab? Gehört dir etwa auch der Bürgersteig, Brillenschlange?«

Mr. Cantor gab keine Antwort, sondern verharrte wie eine Barriere zwischen den Jungen, die auf dem Platz hinter ihm Baseball gespielt hatten, und den beiden Wagenladungen Italiener, die auf der Straße am Eingang zum Sportplatz standen, als könnten sie gleich ihre Zigaretten fallen lassen und eine Waffe zücken. Doch als Jerry aus Mr. Cantors Büro im Keller zurückkehrte – von wo er, wie angewiesen, die Polizei angerufen hatte –, waren die beiden Wagen und ihre bedrohlichen Insassen verschwunden. Wenige Minuten später fuhr ein Streifenwagen vor, und Mr. Cantor konnte den Polizisten die Kennzeichen der beiden Wagen angeben, die er sich während des Wortwechsels eingeprägt hatte. Erst als die Polizisten wieder verschwunden waren, wagten es die Kinder am Zaun, sich über die Italiener lustig zu machen.

Wie sich herausstellte, war überall, wo ein Italiener gestanden hatte, Spucke auf dem Boden. Auf mehreren Quadratmetern hatte der Bürgersteig zahllose nasse, schleimige, widerliche Flecken und wirkte wie eine ideale Brutstätte für Krankheiten. Mr. Cantor schickte zwei Jungen in den Keller der Schule, sie sollten zwei Eimer auftreiben, sie mit heißem Wasser und Ammoniak aus dem Putzraum füllen und es in mehreren Schüben auf den Bürgersteig gießen, bis alles gründlich gereinigt war. Die Jungen, die das Wasser über den Bürgersteig gossen, erinnerten ihn daran, wie er als Zehnjähriger geputzt hatte, nachdem er im Gemüsegeschäft seines Großvaters eine Ratte erschlagen hatte.

»Keine Sorge«, sagte Mr. Cantor zu den Jungen. »Die kommen nicht noch mal. So ist das eben«, sagte er und zitierte einen Lieblingssatz seines Großvaters, »es passiert immer irgendwas Komisches.« Dann wurde das Spiel fortgesetzt. Die Jungen, die von der anderen Seite des zwei Stockwerke hohen Maschendrahtzauns, der den Sportplatz umschloss, zugesehen hatten, waren mächtig beeindruckt von ihrem Mr. Cantor, der sich den Eindringlingen in den Weg gestellt hatte und keinen Zentimeter zurückgewichen war. Seine entschlossene, selbstsichere Art, seine Kraft – die Kraft eines Gewichthebers – und die Tatsache, dass er sich täglich mit Begeisterung an unseren Baseballspielen beteiligte, hatten ihn von dem Tag an, da man ihn zur Ferienaufsicht über den Sportplatz ernannt hatte, zu einem Vorbild für die Jungen gemacht, die regelmäßig dorthin kamen. Nach dem Vorfall mit den Italienern wurde er zum regelrechten Helden, zum verehrten, beschützenden, heldenhaften großen Bruder, besonders für die Jungen, deren große Brüder im Krieg kämpften.

Ein paar Tage später erschienen zwei der Jungen, die bei dem Auftritt der Italiener dagewesen waren, nicht zu unseren üblichen Baseballspielen. Beide waren morgens mit hohem Fieber und steifem Nacken aufgewacht und mussten, nachdem sie in Armen und Beinen eine ausgeprägte Schwäche entwickelt und erhebliche Atemschwierigkeiten bekommen hatten, am Abend des darauffolgenden Tages mit dem Krankenwagen in eine Klinik gebracht werden. Der eine, Herbie Steinmark, war ein dicklicher, unbeholfener, liebenswerter Achtklässler, der wegen seiner Tolpatschigkeit gewöhnlich im Right Field spielen musste und als Letzter schlagen durfte, der andere, Alan Michaels, ebenfalls Achtklässler, gehörte zu den sportlichsten Jungen und war einer derjenigen, die Mr. Cantor am nächsten standen. Herbie und Alan waren die ersten Poliofälle in unserem Viertel; innerhalb von achtundvierzig Stunden gab es elf weitere Fälle, und obwohl keines dieser Kinder an jenem Tag auf dem Sportplatz gewesen war, sprach es sich rasch herum, dass die Krankheit von den Italienern nach Weequahic getragen worden war. Da bis dahin die meisten Poliofälle im italienischen Viertel aufgetreten waren, während es bei uns keinen einzigen gegeben hatte, glaubte man allgemein, dass die Italiener, wie sie es behauptet hatten, an jenem Nachmittag quer durch die Stadt gefahren waren, um die Kinderlähmung unter den Juden zu verbreiten – und dass ihnen das gelungen war.

Bucky Cantors Mutter war bei seiner Geburt gestorben, und er war bei seinen Großeltern mütterlicherseits aufgewachsen, in einem von zwölf Parteien bewohnten Mietshaus an der Barclay Street unweit der Avon Avenue in einem der ärmeren Viertel der Stadt. Sein Vater, von dem er die schlechten Augen geerbt hatte, war Buchhalter in einem großen Kaufhaus in der Innenstadt; er hatte eine Schwäche für Pferdewetten und wurde kurz nach dem Tod seiner Frau und der Geburt seines Sohnes zu einer Gefängnisstrafe verurteilt, weil er Geld unterschlagen hatte, um seine Wettschulden zu bezahlen – wie sich herausstellte, hatte er vom ersten Tag an in die Kasse gegriffen. Er saß zwei Jahre im Gefängnis und kehrte nach seiner Entlassung nie nach Newark zurück. Auf das Leben wurde der Junge, dessen Name Eugene war, also nicht von seinem Vater, sondern von seinem großen, bärenhaften, hart arbeitenden Großvater vorbereitet, in dessen Gemüsegeschäft in der Avon Avenue er samstags und nach der Schule aushalf. Als er fünf war, heiratete sein Vater wieder und versuchte mit Hilfe eines Anwalts zu erwirken, dass Eugene zu ihm und seiner neuen Frau nach Perth Amboy kam, wo er in einer Werft arbeitete. Anstatt sich ebenfalls einen Anwalt zu nehmen, fuhr der Großvater sogleich nach Perth Amboy, wo es zu einer heftigen Auseinandersetzung kam, in deren Verlauf er seinem ehemaligen Schwiegersohn angeblich androhte, ihm den Hals zu brechen, sollte er es noch einmal wagen, sich irgendwie in Eugenes Leben einzumischen. Danach hörte man nie mehr etwas von Eugenes Vater.

Durch das Herumtragen von Gemüsekisten entwickelten sich die Muskeln in seinem Oberkörper, und weil er täglich unzählige Male zur Wohnung im zweiten Stock hinauflief, bekam er starke Beine. Das Vorbild seines unerschrockenen Großvaters lehrte ihn, sich jeder Widrigkeit zu stellen – unter anderem der Tatsache, dass er der Sohn eines Mannes war, den sein Großvater zeit seines Lebens als »sehr zwielichtigen Charakter« beschrieb. Schon als Junge wollte er stark wie sein

Großvater sein und keine dicken Brillengläser tragen müssen, doch seine Augen waren so schlecht, dass er, wenn er abends zu Bett ging und die Brille absetzte, kaum imstande war, die wenigen Möbelstücke in seinem Zimmer zu erkennen. Sein Großvater, der über seine eigenen Schwächen nie lange nachgedacht hatte, sagte zu dem Jungen, als dieser mit acht Jahren zum ersten Mal eine Brille aufsetzte, jetzt könne er so gut sehen wie jeder andere. Danach gab es zu diesem Thema nichts mehr zu sagen.

Seine Großmutter war eine gutmütige, warmherzige kleine Frau, die ideale Ergänzung zu seinem Großvater. Sie ertrug tapfer alle Mühsale, auch wenn sie jedesmal Tränen in den Augen hatte, wenn man ihre mit zwanzig Jahren im Kindbett gestorbene Tochter erwähnte. Sie wurde von allen geliebt, sowohl im Geschäft als auch zu Hause, wo sie die Hände nie in den Schoß legte und, während sie den Haushalt erledigte, mit halbem Ohr *Life Can Be Beautiful* und andere Seifenopern hörte, bei denen man nervös und gespannt das nächste Unglück erwartete. In den wenigen Stunden, in denen sie nicht ihrem Mann im Geschäft half, widmete sie sich mit Freuden Eugenes Wohlergehen: Sie pflegte ihn, als er Masern, Mumps und Windpocken hatte, sorgte dafür, dass seine Kleider sauber und gepflegt waren und er seine Hausaufgaben erledigte, sie unterschrieb die Zeugnisse, ging mit ihm regelmäßig zum Zahnarzt (was damals in armen Familien eine Seltenheit war), achtete darauf, dass er gesund und reichlich aß, und bezahlte die Gebühren in der Synagoge, wo er nach der Schule als Vorbereitung für seine Bar-Mizwah Hebräischunterricht erhielt. Von den drei genannten Kinderkrankheiten abgesehen, besaß der Junge eine eiserne Gesundheit, gute, regelmäßige Zähne und eine robuste Konstitution, was sicher irgendwie damit zusammenhing, dass sie ihn so gut bemuttert und alles getan hatte, was nach damaliger Meinung der Gesundheit und dem Wachstum eines Kindes förderlich war. Zwischen ihr und ihrem Mann gab es kaum jemals Streit – beide wussten, was sie zu tun hatten und wie es am besten zu tun war, und beide widmeten sich ihren jeweiligen Aufgaben mit einem Eifer, an dem sich der junge Eugene ein Beispiel nahm.

Sein Großvater kümmerte sich um seine männliche Entwicklung, entschlossen, jedwede Schwäche auszumerzen, die der straffällig gewordene Vater – zusammen mit den schlechten Augen – an den Jungen vererbt haben könnte, und Eugene beizubringen, dass alles, was ein Mann tat, mit einer gewissen Verantwortung verbunden war. Dieser väterliche Druck war gewiss nicht leicht zu ertragen, doch wenn der Junge die Anforderungen erfüllte, sparte der Großvater nicht mit Lob. So auch an dem Tag, als der erst zehnjährige Eugene im trübe beleuchteten Lagerraum hinter dem Laden auf eine große graue Ratte stieß. Draußen war es bereits dunkel, als er die Ratte zwischen den aufgestapelten Pappkartons umherlaufen sah, die er zusammen mit seinem Großvater ausgepackt hatte. Sein erster Impuls war, davonzulaufen, doch statt dessen griff er, da er wusste, dass sein Großvater gerade eine Kundin bediente, geräuschlos nach der in der Ecke lehnenden schweren Schaufel, mit der er im Winter Kohlen in den Ofen warf, der den Laden beheizte.

Auf Zehenspitzen und mit angehaltenem Atem näherte er sich vorsichtig der Ratte, die sich panisch in der Ecke zusammenkauerte. Als der Junge die Schaufel über den Kopf erhob, stellte die Ratte sich auf die Hinterbeine, fletschte ihre furchterregenden Zähne und machte sich bereit zu springen. Bevor sie das jedoch tun konnte, schwang er die Schaufel und traf das Tier auf den Schädel. Blut, Knochensplitter und Gehirnmasse rannen in die Ritzen zwischen den Bodendielen. Der Junge konnte einen Brechreiz nicht ganz unterdrücken, kratzte aber die Überreste der Ratte mit dem Schaufelblatt zusammen. Sie war schwerer, als er gedacht hatte, und wirkte noch größer als Sekunden zuvor, als sie sich auf die Hinterbeine gestellt hatte. Seltsamerweise sah nichts – nicht einmal der nackte, leblose Schwanz oder die vier reglosen Füße – so tot aus wie die nadeldünnen, blutverschmierten Schnurrhaare. Als er die Schaufel erhoben hatte, hatte er die Schnurrhaare gar nicht bemerkt. Nur die Worte »Töte sie« waren zu ihm durchgedrungen, als hätte sein Großvater sie in seinem Kopf gesprochen. Er wartete, bis die Kundin mit ihrer Einkaufstasche den Laden verlassen hatte, und ging dann, die Schaufel vor sich haltend, in den Verkaufsraum, um dem Großvater die tote Ratte zu zeigen, bevor er sie hinaus auf die Straße brachte. An der Ecke warf er den Kadaver auf das Gitter des Gullys und schob ihn mit der Kante des Schaufelblatts zwischen den eisernen Stäben hindurch. Dann kehrte er zum Geschäft zurück, säuberte mit Wurzelbürste, Schmierseife, Putzlumpen und einem Eimer Wasser den Boden von seinem Erbrochenen und dem Blut der Ratte und reinigte anschließend die Schaufel.

Nach dieser mutigen, triumphalen Tat nannte der Großvater den zehnjährigen brillentragenden Eugene nur noch »Bucky«, und zwar wegen der Konnotation von Hartnäckigkeit, Stärke und entschlossener, beherzter, willensstarker Tapferkeit, die in diesem Spitznamen mitschwang.

Der Großvater, Sam Cantor, war in den achtziger Jahren des 19. Jahrhunderts ganz allein aus einem jüdischen Städtchen in Galizien nach Amerika eingewandert und hatte in den Straßen von Newark gelernt, furchtlos zu sein. Bei Kämpfen mit antisemitischen Banden war ihm mehr als einmal die Nase gebrochen worden. Er verbrachte seine Jugend in einem der ärmsten Viertel einer Stadt, in der Gewalt gegen Juden an der Tagesordnung war, und diese Tatsache prägte nicht nur seine Einstellung gegenüber dem Leben, sondern auch die seines Enkels. Er ermunterte den Jungen, sich vor nichts zu fürchten, sich jederzeit als Mann wie als Jude zu behaupten und zu akzeptieren, dass die letzte Schlacht nie geschlagen war. »Und wenn du den Preis bezahlen musst«, bemerkte er häufig über die täglichen Scharmützel, die das Leben, wie er es kannte, ausmachten, »dann bezahlst du ihn eben.« Die gebrochene Nase im Gesicht seines Großvaters war für den Jungen der Beweis, dass die Welt versucht hatte, diesen Mann zu brechen, es ihr aber nicht gelungen war. Im Juli 1944, als die zehn Italiener vor dem Sportplatz auftauchten und Mr. Cantor sich ihnen entgegenstellte, war der alte Mann längst einem Herzanfall erlegen, und doch war er während des ganzen Zwischenfalls spürbar anwesend.

Ein Junge, der seine Mutter bei der Geburt und seinen Vater nur wenige Jahre später verloren hatte und dessen Eltern in seinen frühesten Erinnerungen keinerlei Rolle spielten, hätte mit den ererbten Ersatzeltern, die ihn groß und stark werden ließen, nicht gesegneter sein können – nur selten ließ er zu, dass der Gedanke an seine fehlenden Eltern ihn quälte, auch wenn sein ganzes bisheriges Leben von ihrer Abwesenheit geprägt war.

Mr. Cantor war zwanzig und im dritten Studienjahr, als am Sonntag, dem 7. Dezember 1941, die amerikanische Pazifikflotte in Pearl Harbor aus heiterem Himmel von den Japanern bombardiert und beinahe vernichtet wurde. Am darauffolgenden Montag ging er zum Rekrutierungsbüro am Rathaus, um sich freiwillig zu melden, doch wegen seiner schlechten Augen wollte man ihn nicht nehmen, weder die Armee noch die Marine, die Küstenwache oder das Marinecorps. Er wurde als untauglich eingestuft und zurückgeschickt zum Panzer College, wo er sich auf eine Laufbahn als Sportlehrer vorbereitete. Sein Großvater war eben erst verstorben, und Mr. Cantor hatte, so irrational dieser Gedanke auch war, das Gefühl, ihn enttäuscht und seine Erwartungen nicht erfüllt zu haben, dem Vorbild seines unverwüstlichen Mentors nicht gerecht geworden zu sein. Wozu waren seine muskulöse Statur und seine athletischen Fähigkeiten gut, wenn er sie nicht als Soldat einsetzen konnte? Er hatte doch nicht seit seiner frühen Jugend Gewichte gestemmt, nur um stark genug zu sein, einen Speer zu werfen. In seiner Vorstellung war er für das Marinecorps geschaffen.

In den Monaten, die dem Kriegseintritt Amerikas folgten, musste er in Zivilkleidung durch die Straßen von Newark gehen, während alle tauglichen Männer seines Alters in irgendwelchen Ausbildungslagern auf den Kampf gegen die Deutschen und die Japaner vorbereitet wurden – darunter auch seine beiden besten Freunde vom Panzer College, die ihn am 8. Dezember zum Rekrutierungsbüro begleitet hatten. Seine Großmutter, bei der er noch immer wohnte – zum College fuhr er mit dem Zug –, hörte ihn in der Nacht, als seine Freunde zur Grundausbildung nach Fort Dix fuhren, in seinem Zimmer weinen, wie sie ihn noch nie hatte weinen hören. Er schämte sich, in Zivil durch die Straßen zu gehen, er schämte sich, im Kino die Wochenschauen mit den Kriegsberichterstattungen zu sehen, ja er schämte sich, die Schlagzeilen zu lesen, wenn er abends während der langen Busfahrt von East Orange nach Newark neben jemandem saß, der die Abendzeitung las. »Bataan gefallen.« »Corregidor gefallen.« »Wake Island gefallen.« Er empfand die Scham eines Mannes, dessen persönlicher Einsatz den entscheidenden Unterschied gemacht hätte, während die amerikanischen Streitkräfte im Pazifik eine gewaltige Niederlage nach der anderen hinnehmen mussten.

Wegen des Krieges und der Wehrpflicht waren Sportlehrer so gesucht, dass er noch vor seinem Abschluss am Panzer College im Juni 1943 eine Stellung an der damals erst zehn Jahre alten Chancellor Avenue School hatte. Außerdem hatte er sich bereiterklärt, in den Sommerferien die Aufsicht über den großen Sportplatz zu übernehmen. Sein Ziel war, Sportlehrer und Trainer an der Weequahic Highschool zu werden, die gleich neben der Chancellor Avenue School eröffnet worden war. Er fühlte sich dorthin gezogen, weil an beiden Schulen die überwältigende Mehrheit der Schüler jüdisch und das Leistungsniveau sehr hoch war. Er wollte diese jüdischen Kinder lehren, sowohl im Sport als auch in den übrigen Fächern hervorragende Leistungen zu bringen und Fairness sowie alles andere, was man im sportlichen Wettkampf lernen konnte, zu schätzen. Er wollte ihnen beibringen, was ihm sein Großvater beigebracht hatte: Zähigkeit und Willenskraft, körperliche Stärke und Tapferkeit sowie die Entschlossenheit, sich niemals herumstoßen oder – nur weil sie ihren Kopf zu gebrauchen wussten – als jüdische Schwächlinge und Muttersöhnchen beschimpfen zu lassen.

Das Gerücht, das sich auf dem Sportplatz verbreitete, als Herbie Steinmark und Alan Michaels mit dem Krankenwagen in die Isolierstation des Beth Israel Hospitals gebracht worden waren, besagte, dass sie vollständig gelähmt seien und, da sie nicht mehr aus eigener Kraft atmen könnten, in einer eisernen Lunge am Leben erhalten würden. Obwohl an jenem Morgen nicht alle Kinder erschienen, waren es doch genug, um vier Mannschaften aufzustellen, die den ganzen Tag über ein Turnier mit Spielen zu je fünf Innings austragen würden. Mr. Cantor stellte fest, dass von den etwa neunzig Kindern, die in den Ferien regelmäßig auf dem Sportplatz erschienen, außer Herbie und Alan ungefähr fünfzehn bis zwanzig Kinder fehlten, und nahm an, dass sie von ihren Eltern aus Angst vor der Kinderlähmung zu Hause behalten worden waren. Da er die Fürsorglichkeit jüdischer Eltern im allgemeinen und die Sorge jüdischer Mütter um das Wohlergehen ihrer Kinder im besonderen kannte, war er überrascht, dass nicht weit mehr ferngeblieben waren. Wahrscheinlich hatte es geholfen, dass er am Tag zuvor eine kleine Rede gehalten hatte.

»Jungs«, hatte er gesagt, nachdem er sie auf einem der beiden Baseballfelder zusammengerufen hatte, bevor sie zum Abendessen nach Hause gegangen waren, »ich will nicht, dass einer von euch Panik bekommt. Kinderlähmung ist eine Krankheit, mit der wir es jeden Sommer zu tun haben. Es ist eine schwere Krankheit, die immer wieder auftritt. Die beste Methode, dieser Bedrohung zu begegnen, besteht darin, gesund und stark zu bleiben. Wascht euch jeden Tag gründlich, esst ordentlich, trinkt acht Gläser Wasser am Tag und versucht, acht

Stunden zu schlafen und euren Sorgen und Ängsten nicht nachzugeben. Wir alle wollen, dass es Herbie und Alan so schnell wie möglich besser geht. Wir alle wünschten, es wäre nicht passiert. Sie sind zwei wunderbare Jungen, und viele von euch sind mit ihnen befreundet. Dennoch müssen wir, solange sie im Krankenhaus sind und sich erholen, unser Leben weiterleben. Das bedeutet, dass ihr jeden Tag zum Sportplatz kommt und an den Spielen teilnehmt wie immer. Wenn sich einer von euch krank fühlt, dann muss er es natürlich seinen Eltern sagen und zu Hause bleiben, bis ein Arzt nach ihm gesehen hat und er wieder gesund ist. Aber wenn es euch gut geht, gibt es absolut keinen Grund, warum ihr nicht den ganzen Sommer über so aktiv sein solltet, wie ihr wollt.«

An jenem Abend hatte er vom Telefon in der Küche aus versucht, die Familien Steinmark und Michaels anzurufen, um seiner Sorge und der der anderen Jungen Ausdruck zu geben und sich nach dem Befinden ihrer Kinder zu erkundigen. Er hatte jedoch niemanden erreicht. Ein schlechtes Zeichen. Alle Angehörigen waren jetzt, um Viertel nach neun, vermutlich noch im Krankenhaus.

Dann läutete das Telefon. Es war Marcia. Sie rief aus den Pocono Mountains an, weil sie gehört hatte, dass zwei der Jungen, die täglich zum Sportplatz kamen, an Kinderlähmung erkrankt waren. »Ich hab mit meiner Familie gesprochen – sie haben es mir erzählt. Ist bei dir alles in Ordnung?«

»Ja«, sagte er und entfernte sich so weit vom Apparat, wie das Kabel es zuließ, damit er am offenen Fenster stehen konnte, wo es etwas kühler war. »Auch bei den anderen Jungen. Ich habe gerade versucht, die Familien der beiden Kranken zu erreichen, um zu hören, wie es ihnen geht.«

»Du fehlst mir«, sagte Marcia, »und ich mache mir Sorgen um dich.«

»Du fehlst mir auch«, sagte er, »aber es gibt keinen Grund zur Besorgnis.«

»Jetzt tut es mir leid, dass ich hierher gefahren bin.« Sie arbeitete jetzt schon im zweiten Sommer als Oberbetreuerin in Indian Hill, einem Sommercamp für jüdische Jungen und Mädchen in den Pocono Mountains in Pennsylvania, hundert Kilometer von Newark entfernt. Während des Schuljahrs unterrichtete sie die erste Klasse an der Chancellor Avenue School – sie hatten sich als neue Mitglieder des Lehrkörpers im vorangegangenen Jahr kennengelernt. »Es klingt schrecklich«, sagte sie.

»Es ist ja auch schrecklich für die Jungen und ihre Familien«, sagte er, »aber die Situation ist keineswegs außer Kontrolle. Und das solltest du nicht denken.«

»Meine Mutter hat etwas gesagt, das ich nicht verstanden habe – irgendetwas von Italienern, die zum Sportplatz gekommen sind, um Kinderlähmung zu übertragen.«

»Die Italiener haben gar nichts übertragen. Ich war dort und weiß, was passiert ist. Es waren ein paar Wichtigtuer, die auf die Straße gespuckt haben. Wir haben das dann weggewischt. Kinderlähmung ist Kinderlähmung – kein Mensch weiß, wie sie übertragen wird. Es wird Sommer, und auf einmal ist sie da. Man kann nichts dagegen tun.«

»Ich liebe dich, Bucky. Ich denke ständig an dich.«

Er senkte seine Stimme, damit die Nachbarn ihn nicht durch die offenen Fenster hören konnten, und sagte: »Ich liebe dich auch.« Es war schwierig, ihr das zu sagen, denn er hatte – vernünftigerweise, wie er fand – beschlossen, sich nicht zu sehr nach ihr zu sehnen. Und außerdem hatte er sich noch nie einem Mädchen gegenüber so deutlich erklärt und fand die Worte eigenartig und ungewohnt.

»Ich muss jetzt aufhören«, sagte Marcia. »Hier steht jemand und will auch telefonieren. Bitte pass auf dich auf.«

»Das tue ich. Das werde ich. Aber mach dir keine Sorgen. Es gibt gar keinen Grund dazu.«

Am nächsten Tag verbreitete sich die Nachricht wie ein Lauffeuer, dass im Schulsprengel von Weequahic elf neue Fälle von Kinderlähmung aufgetreten waren, so viele wie in den vergangenen drei Jahren zusammengenommen, und dabei war es erst Juli, und es würde noch zwei Monate dauern, bis die Poliowelle vorüber war. Elf neue Fälle, und in der Nacht war Mr. Cantors Lieblingsschüler Alan Michaels im Krankenhaus gestorben. Innerhalb von kaum zweiundsiebzig Stunden war er der Krankheit erlegen.

Der nächste Tag war ein Samstag, und der Sportplatz war nur bis zum Mittag geöffnet, wenn in der ganzen Stadt der Probealarm der Luftschutzsirenen erklang. Anstatt zurück zur Barclay Street zu gehen und seiner Großmutter bei den Einkäufen für die kommende Woche zu helfen – das Inventar ihres eigenen Gemüsegeschäftes war nach dem Tod des Großvaters für kaum mehr als ein Almosen verkauft worden –, begab Mr. Cantor sich in sein Büro im Keller der Schule, duschte in der Umkleide der Jungen hinter der Turnhalle und zog ein frisches Hemd, eine saubere Hose sowie die mitgebrachten blank geputzten Schuhe an. Dann ging er die Chancellor Avenue entlang, den Hügel hinunter bis zum Fabyan Place, wo Alan Michaels' Familie lebte. Trotz der Poliofälle in der Nachbarschaft war die von Geschäften gesäumte Hauptstraße voller Menschen, die ihre Wochenendeinkäufe erledigten, Kleider von der Reinigung abholten, Rezepte einlösten und im Lampen- oder Damenoberbekleidungsgeschäft, beim Optiker oder im Haushaltswarenladen einkauften. In Frenchys Friseursalon war jeder Stuhl besetzt von Männern aus dem Viertel, die auf einen Haarschnitt oder eine Rasur warteten, und der italienische Schuster nebenan – er war der einzige Geschäftsmann im Viertel, der kein Jude war – suchte für seine Kunden die reparierten Schuhe aus dem Regal, während das auf einen italienischen Sender eingestellte Radio durch die offene Tür auf die Straße plärrte. Überall waren bereits die Markisen heruntergelassen, um die Sonne daran zu hindern, durch die Schaufensterscheiben zu scheinen und die Läden aufzuheizen.

Es war ein sonniger, wolkenloser Tag, und mit jeder Stunde wurde es heißer. Einige der Jungen, die ihn vom Sportunterricht oder vom Sportplatz kannten, winkten ihm aufgeregt, als sie ihn auf der Chancellor Avenue entdeckten. Da er nicht in dieser Gegend, sondern in der South Side wohnte, sahen sie ihn nur in der Schule, wenn er Sportunterricht erteilte oder die Aufsicht über den Sportplatz führte. Er winkte zurück, wenn sie seinen Namen riefen, und nickte ihren Eltern lächelnd zu – einige von ihnen kannte er von den Elternabenden. Ein Vater trat auf ihn zu. »Ich möchte Ihnen die Hand schütteln, junger Mann«, sagte er zu Mr. Cantor. »Sie haben diesen Itakern gezeigt, was eine Harke ist. Diesen dreckigen Hunden. Einer gegen zehn. Sie sind ein mutiger junger Mann.« »Danke, Sir.« »Ich bin Murray Rosenfield, Joeys Vater.« »Danke, Mr. Rosenfield.« Kurz darauf kam eine Frau mit einer Einkaufstasche auf ihn zu. Sie lächelte höflich und sagte: »Ich bin Mrs. Lewy,

Bernies Mutter. Mein Sohn vergöttert Sie, Mr. Cantor. Aber ich möchte Sie doch etwas fragen. Bei dem, was hier in der Stadt los ist – halten Sie es da für richtig, dass die Jungen in dieser Hitze herumrennen? Wenn Bernie nach Hause kommt, ist er völlig verschwitzt. Ist das gut? Sehen Sie doch nur, was mit Alan passiert ist. Das ist eine Tragödie, über die eine Familie nie hinwegkommt. Wie soll man so etwas verkraften? Seine beiden Brüder sind in der Armee, und dann das ...«»Ich passe auf, dass die Jungen sich nicht überanstrengen, Mrs. Lewy. Ich habe ein Auge auf sie.«»Bernie weiß einfach nicht, wann es genug ist«, sagte sie.»Er kann den ganzen Tag und die ganze Nacht herumrennen, wenn ihm nicht jemand sagt, dass er aufhören soll.«»Ich werde dafür sorgen, dass er eine Pause macht, wenn es ihm zu heiß wird. Ich werde auf ihn aufpassen.«»Oh, danke, danke. Wir sind alle so froh, dass Sie es sind, der die Aufsicht hat.«»Ich hoffe, ich bin eine Hilfe«, sagte Mr. Cantor. Eine kleine Gruppe hatte sich gebildet, während die beiden miteinander gesprochen hatten, und jetzt ergriff eine zweite Frau das Wort:»Warum kümmert sich das Gesundheitsamt nicht darum?«»Das fragen Sie mich?«, sagte Mr. Cantor.»Ja, das frage ich Sie. Über Nacht elf neue Fälle in Weequahic! Ein Kind ist schon gestorben! Ich will wissen, was das Gesundheitsamt unternimmt, um unsere Kinder zu schützen.«»Ich arbeite nicht für das Gesundheitsamt«, antwortete er.»Ich habe die Ferienaufsicht über den Sportplatz an der Chancellor Avenue School.«»Aber jemand hat gesagt, dass Sie vom Gesundheitsamt sind.«»Nein, bin ich nicht. Ich wollte, ich könnte Ihnen helfen, aber ich bin nur Lehrer.«»Wenn man beim Gesundheitsamt anruft«, sagte die Frau,»ist immer besetzt. Ich glaube, die haben einfach den Hörer neben den Apparat gelegt.« »Die Leute vom Gesundheitsamt waren da«, sagte eine andere Frau. »Ich habe sie gesehen. Sie haben an den Häusern, wo es einen Poliofall gegeben hat, Quarantäneschilder aufgestellt. Einer war in der Straße, wo ich wohne«, fuhr sie mit bekümmerter Stimme fort. »Und das Gesundheitsamt tut nichts!«, sagte jemand anders wütend. »Was unternimmt die Stadt dagegen? Nichts!« »Was kann man denn schon tun?«, sagte eine andere Frau. »Aber die müssen doch etwas tun können – sie tun es nur nicht!« »Sie sollten die Milch untersuchen – Kinderlähmung kommt von kranken Kühen und ihrer Milch.« »Nein«, sagte ein anderer, »es liegt nicht an den Kühen, sondern an den Flaschen. Die werden nicht richtig sterilisiert.« »Warum wird nicht alles ausgeräuchert?«, fragte jemand. »Warum setzen sie keine Desinfektionsmittel ein? Es müsste alles desinfiziert werden.« »Die sollten tun, was sie in meiner Jugend getan haben«, sagte jemand, »und den Kindern Kampferkugeln um den Hals hängen. Damals gab's was, das hieß Teufelsdreck und hat entsetzlich gestunken – vielleicht würde das helfen.« »Oder irgendwelche starken Chemikalien auf die Straßen streuen und alles wegspülen.« »Ach was – Chemikalien«, sagte ein anderer. »Das Wichtigste ist, dass die Kinder sich die Hände waschen. Sie müssen sich immer wieder die Hände waschen. Sauberkeit, Sauberkeit, Sauberkeit! Das ist entscheidend!« »Und das andere Wichtige ist«, warf Mr. Cantor ein, »dass Sie alle sich beruhigen und nicht in Panik geraten. Und vor allem die Kinder nicht mit Panik anstecken. Es ist wichtig, dass alles in ihrem Leben so normal wie möglich bleibt und dass Sie ruhig und vernünftig mit ihnen reden.« »Aber wäre es nicht am besten, wenn sie einfach zu Hause bleiben würden, bis das alles vorbei ist?«, fragte ihn eine andere Frau.

»Zu Hause ist es doch am sichersten. Ich bin Richard Tulins Mutter. Richard verehrt Sie, Mr. Cantor«, sagte sie. »Alle Jungen verehren Sie. Aber wäre es nicht besser für Richie und für alle anderen Jungen, wenn Sie den Sportplatz einfach schließen würden und sie zu Hause blieben?« »Aber ich kann den Sportplatz nicht schließen, Mrs. Tulin. Das kann nur der Schulrat.« »Bitte glauben Sie nicht, dass ich Sie für irgendetwas verantwortlich mache«, sagte sie. »Nein, nein, ich weiß, dass Sie das nicht tun. Sie sind eine Mutter, und Sie machen sich Sorgen. Ich verstehe Ihrer aller Besorgnis.« »Unsere jüdischen Kinder sind unser Reichtum«, sagte jemand. »Warum fällt diese Krankheit so über unsere schönen jüdischen Kinder her?« »Ich bin kein Arzt, ich bin kein Wissenschaftler. Ich weiß nicht, warum sie jemanden befällt. Ich glaube, das weiß niemand. Darum versucht jeder herauszufinden, wer oder was daran schuld ist. Man will herausfinden, was dafür verantwortlich ist, damit man es vernichten kann.« »Aber was ist mit den Italienern? Es müssen diese Italiener gewesen sein!« »Nein, nein, das glaube ich nicht. Ich war ja dabei. Sie hatten keinerlei Kontakt mit den Kindern. Es waren nicht die Italiener. Sie dürfen sich nicht vor Angst und Sorgen verzehren. Es ist wichtig, dass Sie Ihre Kinder nicht mit der Angst infizieren. Glauben Sie mir: Wir werden es überstehen. Wenn jeder seinen Beitrag leistet und ruhig bleibt und alles tut, was in seiner Macht steht, um die Kinder zu schützen, werden wir es gemeinsam überstehen.« »Oh, danke, junger Mann. Sie sind ein wunderbarer junger Mann.« »Bitte entschuldigen Sie mich«, sagte er und blickte in ihre besorgten Augen, die ihn flehend ansahen, als wäre er weit mächtiger als ein dreiundzwanzigjähriger Lehrer, der die Ferienaufsicht über den Sportplatz hatte.

Fabyan Place war die letzte Straße in Newark vor den Eisenbahngleisen, den Sägewerken und der Straße nach Irvington. Wie die anderen Straßen, die von der Chancellor Avenue abzweigten, war sie gesäumt von zweigeschossigen Häusern mit Eingangstreppen aus rotem Backstein und winzigen, von Hecken eingefassten Gärten. Zwischen den Häusern waren kleine Garagen mit schmalen, betonierten Zufahrten. Vor jedem Haus standen am Straßenrand junge Schattenbäume, die in den vergangenen Jahren von der Stadt gepflanzt worden waren und jetzt, nach wochenlanger, durch keinen Regen gemilderter Hitze, etwas verdorrt wirkten. Die Straße war ruhig und sauber; nichts deutete auf Krankheit oder Infektion hin. In den meisten Häusern waren die Rollos heruntergelassen oder die Vorhänge zugezogen, um die schreckliche Hitze auszusperren. Es war weit und breit niemand zu sehen, und Mr. Cantor fragte sich, ob das an der Hitze lag oder ob die Nachbarn ihre Kinder aus Respekt vor den Michaels – oder vielleicht aus Angst vor ihnen – im Haus behielten.

Dann erschien dort, wo die Straße in die Lyons Avenue mündete, eine Gestalt und bewegte sich im gleißenden Licht der Sonne, die auf Fabyan Place herniederbrannte und den Asphalt aufweichte. Der unverkennbare Gang verriet, um wen es sich handelte: Es war Horace. Jeder Mann, jede Frau, jedes Kind in Weequahic kannte Horace, hauptsächlich weil es so beunruhigend war, ihn auf der Straße auf sich zukommen zu sehen. Kleine Kinder rannten, wenn sie ihn sahen, auf die andere Straßenseite, Erwachsene schlugen die Augen nieder. Horace war der »Idiot« des Viertels, ein magerer, geistig zurückgebliebener Mann von Ende Dreißig, Anfang Vierzig – niemand wusste genau, wie alt er war –, dessen geistige

Entwicklung im Alter von sechs, sieben Jahren stehengeblieben war und den ein Psychologe höchstwahrscheinlich als Schwachsinnigen diagnostiziert und nicht, wie die Jugendlichen des Viertels, mit dem laienhaften Stempel »Trottel« versehen hätte. Er zog beide Füße nach, und sein Kopf, den er vorreckte wie eine Schildkröte, hüpfte bei jedem Schritt auf und ab, so dass er mehr zu stolpern als zu gehen schien. Wenn er sprach – was nur selten geschah –, hatte er stets Speichel in den Mundwinkeln, und wenn er schwieg, sabberte er manchmal. Er hatte ein schmales, unregelmäßiges Gesicht, das aussah, als wäre es im Geburtskanal verbogen und zerknautscht worden. Nur die Nase war groß und wirkte in diesem schmalen Gesicht auf eine merkwürdige und groteske Weise knollig, was manche der Kinder dazu inspirierte, ihm »Hallo, Rüsseltier!« nachzurufen, wenn er an einer Treppe oder Einfahrt vorbeischlurfte, wo sie sich versammelt hatten. Seine Kleider verströmten zu jeder Jahreszeit einen stechenden säuerlichen Geruch, und sein Gesicht war mit kleinen Blutflecken übersät, winzigen Schnitten, die belegten, dass Horace den Geist eines Kindes, aber den Bartwuchs eines Mannes besaß und sich, obgleich das gefährlich war, selbst rasierte oder von seinen Eltern rasiert wurde, bevor er hinausging. Vermutlich hatte er soeben die kleine Wohnung hinter der Schneiderwerkstatt um die Ecke verlassen, wo er mit seinen Eltern lebte, die miteinander Jiddisch und mit den Kunden in gebrochenem Englisch sprachen. Angeblich hatten sie noch andere, vollkommen normale Kinder, die erwachsen waren und woanders lebten – zur allgemeinen Verwunderung war der eine von Horace' Brüdern angeblich Arzt, der andere ein erfolgreicher Geschäftsmann. Horace war das jüngste Kind der Familie. Er ging jeden Tag durch das Viertel, im heißesten Sommer wie im tiefsten Winter; dann trug er einen viel zu großen, mit einer Kapuze versehenen Mantel, schwarze, nicht verschlossene Galoschen und Handschuhe, die mit Sicherheitsnadeln an den Enden der Ärmel befestigt waren und dort unbenutzt baumelten, ganz gleich, wie kalt es war. Wenn er in dieser Aufmachung seines Weges schlurfte, wirkte er noch seltsamer als sonst.

Mr. Cantor fand das Haus der Michaels am Ende der Straße, stieg die wenigen Stufen zur Eingangstür hinauf, drückte in dem kleinen Vestibül, in dem sich auch die Briefkästen befanden, auf den Klingelknopf und hörte die Glocke im ersten Stock. Jemand kam langsam die Stufen hinunter und öffnete die mit einem Milchglasfenster versehene Tür am Fuß der Treppe, um nachzusehen, wer da geläutet hatte. Der Mann war groß und korpulent, und das kurzärmlige Hemd spannte sich über seinem Bauch. Er hatte dunkle Ringe unter den Augen und sah Mr. Cantor stumm an, als hätte die Trauer ihn sprachlos gemacht.

»Ich bin Bucky Cantor. Ich bin Sportlehrer an der Chancellor Avenue School und habe die Ferienaufsicht über den Sportplatz. Alan war in einer meiner Klassen, und er war einer der Jungen, die in den Ferien auf dem Sportplatz Baseball gespielt haben. Ich habe gehört, was geschehen ist, und bin gekommen, um Ihnen mein Beileid auszusprechen.«

Es dauerte lange, bis der Mann antwortete. »Ja. Alan hat oft von Ihnen gesprochen«, sagte er schließlich.

»Als Sportler war Alan ein Naturtalent. Und er war ein sehr besonnener Junge. Es ist schrecklich und schockierend. Unbegreiflich. Ich möchte Ihnen sagen, wie leid es mir für Sie tut.«

Es war sehr heiß in dem kleinen Vestibül, und beide Männer schwitzten stark.

»Kommen Sie rauf«, sagte Mr. Michaels. »Wir haben etwas Kühles zu trinken.«

»Ich möchte Sie nicht stören«, sagte Mr. Cantor. »Ihnen nur mein Beileid aussprechen und Ihnen sagen, was für ein guter Junge Alan war. Er war in jeder Hinsicht wie ein Erwachsener.«

»Es gibt Eistee. Meine Schwägerin hat welchen gemacht. Für meine Frau mussten wir den Arzt rufen. Seit es passiert ist, liegt sie im Bett. Er hat ihr ein Beruhigungsmittel gegeben. Kommen Sie und trinken Sie ein bisschen Eistee.«

»Ich möchte Sie nicht stören.«

»Kommen Sie. Alan hat uns viel von Mr. Cantor und seinen Muskeln erzählt. Er war so gern auf dem Sportplatz.« Und dann fügte er, mit brechender Stimme, hinzu: »Er hat das Leben so geliebt.«

Mr. Cantor folgte dem großen, müden, gramgebeugten Mann die Treppe hinauf und in die Wohnung. Alle Rollos waren heruntergelassen, und es brannte kein Licht. Neben dem Sofa war eine Radiotruhe, gegenüber davon standen zwei große weiche Sessel. Mr. Cantor setzte sich im Dämmerlicht auf das Sofa, während Mr. Michaels in der Küche verschwand und mit einem Glas Eistee für seinen Gast zurückkehrte. Er bedeutete Mr. Cantor, sich näher zu ihm zu setzen, auf einen der Sessel, und ließ sich dann mit einem lauten, schmerzhaften Seufzer auf dem anderen nieder, vor dem ein gepolsterter Schemel stand. Sobald er sich gesetzt und die Füße auf den Schemel gelegt hatte, sah er aus, als läge er, wie seine Frau, vollgepumpt mit Beruhigungsmitteln im Bett und könnte sich nicht rühren. Der Schock hatte sein Gesicht ausdruckslos gemacht.

Im Dämmerlicht sah die fleckige Haut unter seinen Augen schwarz aus, als wäre sie mit zwei Abzeichen der Trauer bedruckt. Die alten jüdischen Riten verlangen, dass man seine Kleider zerreißt, wenn man vom Tod eines geliebten Menschen erfährt – Mr. Michaels hatte statt dessen zwei dunkle Flicken an seinem bleichen Gesicht befestigt.

»Wir haben zwei Söhne in der Armee«, sagte er langsam und wie in großer Erschöpfung, so leise, dass man ihn nebenan nicht hören konnte. »Seit sie an der Front sind, vergeht kein Tag, an dem ich nicht mit dem Schlimmsten rechne. Sie haben die schrecklichsten Schlachten überlebt, und dann wacht ihr kleiner Bruder eines Morgens mit Fieber und einem steifen Nacken auf, und drei Tage später ist er tot. Wie sollen wir das seinen Brüdern sagen? Wie sollen wir ihnen das schreiben, wenn sie an der Front sind? Ein zwölfjähriger Junge. Der beste Junge, den man sich nur vorstellen kann, und jetzt ist er tot. In der ersten Nacht ging es ihm so schlecht, dass ich am Morgen dachte, das Schlimmste wäre vielleicht vorüber, die Krise wäre überstanden. Aber das Schlimmste hatte gerade erst begonnen. Was für einen Tag der Junge gehabt hat! Er hat geglüht. Wir haben Fieber gemessen und konnten es nicht glauben: einundvierzig Grad! Als der Doktor kam, hat er gleich den Krankenwagen gerufen, und im Krankenhaus haben sie ihn uns weggenommen – und das war's. Wir haben ihn nicht mehr lebend gesehen. Er ist ganz allein gestorben. Keine Gelegenheit, Abschied zu nehmen. Der Schrank mit seinen Kleidern, den Schulbüchern und den Sportsachen – das ist alles, was uns von ihm geblieben ist. Und seine Fische da drüben.«

Jetzt erst bemerkte Mr. Cantor das große Aquarium am anderen Ende des Raums, wo dunkle Vorhänge vor einem Fenster zugezogen waren, das vermutlich auf die Garageneinfahrt ging. Das Aquarium war von oben beleuchtet, und darin sah er winzige Fische in verschiedenen Formen und Farben, mehr als ein Dutzend, die in eine kleine, von Unterwasserpflanzen umgebene Höhle hinein- und wieder herausschwammen. Einige standen in einer Ecke neben einem silbernen Zylinder, aus dem Luftblasen aufstiegen, reglos auf der Stelle, andere wühlten im Sand auf dem Boden, und wieder andere saugten an der Oberfläche. Alans Werk, dachte Mr. Cantor, ein gut ausgestatteter, sorgfältig gepflegter und versorgter Lebensraum.

»Heute morgen«, sagte Mr. Michaels und zeigte über die Schulter auf das Aquarium, »ist mir eingefallen, dass ich jetzt die Fische füttern muss. Ich bin im Bett hochgefahren.«

»Er war einer der besten«, sagte Mr. Cantor leise und beugte sich vor, damit Mr. Michaels ihn verstehen konnte.

»Hat immer seine Hausaufgaben gemacht«, sagte Mr. Michaels. »Immer seiner Mutter geholfen. War nie egoistisch. Im September wollte er anfangen, sich auf seine Bar-Mizwah vorzubereiten. Höflich. Ordentlich. Hat seinen Brüdern jede Woche Briefe geschrieben und uns am Abendbrottisch vorgelesen. Immer hat er seine Mutter aufgemuntert, wenn sie wegen den beiden anderen niedergeschlagen war. Hat sie zum Lachen gebracht. Sogar als er noch ganz klein war, hatte man mit Alan immer was zu lachen. Die Freunde unserer Jungs kamen immer zu uns, wenn sie Spaß haben wollten. Wir hatten das Haus voller Jungen. Warum hat Alan Kinderlähmung gekriegt? Warum musste er krank werden und so sterben?«

Mr. Cantor umklammerte das Glas mit Eistee, ohne davon zu trinken, ohne überhaupt zu merken, dass er es hielt.

»Seine Freunde haben jetzt Angst«, sagte Mr. Michaels.

»Sie haben Angst, sie könnten sich bei ihm angesteckt haben und ebenfalls Polio kriegen. Ihre Eltern sind außer sich. Niemand weiß, was zu tun ist. Was soll man tun? Was hätten wir tun sollen? Was? Ich zermartere mir den Kopf. Könnte es einen saubereren Haushalt geben als diesen? Gibt es eine Frau, die mehr auf Sauberkeit achtet als meine Frau? Gibt es eine Mutter, der das Wohlergehen ihres Sohnes mehr am Herzen liegt? Gibt es einen Jungen, der sein Zimmer und seine Kleidung besser in Ordnung hält als Alan es getan hat? Alles, was er gemacht hat, hat er von Anfang an richtig gemacht. Und dabei war er immer fröhlich. Immer zu Scherzen aufgelegt. Warum musste er sterben? Ist das gerecht?«

»Nein, das ist nicht gerecht«, sagte Mr. Cantor.

»Man macht immer alles richtig, immer und immer und immer, von Anfang an, man versucht, ein vernünftiger Mensch zu sein, ein hilfsbereiter Mensch – und dann das! Wo ist da der Sinn in diesem Leben?«

»Es scheint keinen zu geben«, sagte Mr. Cantor.

»Wo ist da die Gerechtigkeit?«, fragte der arme Mann.

»Ich weiß es nicht, Mr. Michaels.«

»Warum treffen solche Tragödien immer Menschen, die es am wenigsten verdient haben?«

»Auch das weiß ich nicht«, sagte Mr. Cantor.

»Warum er und nicht ich?«

Mr. Cantor wusste keine Antwort auf diese Fragen. Er zuckte nur die Schultern.

»Ein Junge – sie trifft einen *Jungen*. Es ist so grausam!« Mr. Michaels schlug mit der flachen Hand auf die Sessellehne. »So sinnlos! Eine schreckliche Krankheit fällt vom Himmel, und ein Mensch stirbt über Nacht. Ein Kind!«

Mr. Cantor wünschte, er wüsste ein einziges Wort zu sagen, das das furchtbare Leid dieses Vaters lindern konnte, und sei es nur für einen Augenblick, doch er konnte nur anteilnehmend nicken.

»Neulich abend saßen wir draußen. Alan war auch dabei. Er war gerade von seinem Siegesgarten nach Hause gekommen. Um den hat er sich jeden Abend gewissenhaft gekümmert. Letztes Jahr haben wir den ganzen Sommer das Gemüse gegessen, das Alan dort gezogen hat. Wir saßen also draußen, und eine Brise kam auf. Erinnern Sie sich? Es war so gegen acht, da wehte eine leise Brise – erinnern Sie sich, wie erfrischend das war?«

»Ja«, sagte Mr. Cantor, doch er hatte gar nicht richtig zugehört. Er hatte die tropischen Fische im Aquarium betrachtet und gedacht, dass sie nun, da Alan sich nicht mehr um sie kümmern konnte, verhungern würden. Vielleicht würden sie auch verschenkt werden, oder irgendjemand würde sie irgendwann unter Tränen die Toilette hinunterspülen.

»Nach der Gluthitze des Tages war es wie ein Segen. Man wartet die ganze Zeit, dass ein bisschen Wind aufkommt. Man denkt, eine Brise wird etwas Erleichterung bringen. Aber wissen Sie, was ich jetzt glaube, was sie gebracht hat?«, fragte Mr. Michaels. »Ich glaube, diese Brise hat die Polioviren aufgewirbelt wie dürre Blätter. Ich glaube, dass Alan dagesessen und die Viren eingeatmet hat, die mit der Brise gekommen sind …« Er konnte nicht weitersprechen; er begann zu weinen, stockend und unbeholfen, wie Männer es tun, die sich für stark halten.

Aus dem Schlafzimmer trat eine Frau. Es war die Schwägerin, die sich um Mrs. Michaels kümmerte. Sie trug Schuhe und trat so vorsichtig auf, als wäre nebenan ein unruhiges Kind endlich eingeschlafen.

Leise sagte sie:»Sie will wissen, mit wem du redest.«

»Das ist Mr. Cantor«, sagte Mr. Michaels und wischte sich über die Augen.»Er ist Lehrer an Alans Schule. Wie geht es ihr?«, fragte er seine Schwägerin.

»Nicht gut«, sagte sie.»Unverändert. ›Nicht mein Kind, nicht mein Kind.‹«

»Ich sehe mal nach ihr«, sagte er.

»Ich sollte jetzt gehen«, sagte Mr. Cantor, erhob sich und stellte den unberührten Eistee auf ein Beistelltischchen.»Ich wollte Ihnen nur mein Beileid aussprechen. Darf ich fragen, wann die Beerdigung ist?«

»Morgen um zehn. Der Gottesdienst ist in der Synagoge in der Schley Street. Im Hebräischunterricht war Alan der Lieblingsschüler des Rabbis. Er war der Liebling von jedem. Als Rabbi Slavin gehört hat, was passiert ist, ist er persönlich gekommen und hat uns angeboten, den Gottesdienst abzuhalten. Um Alan zu ehren. Können Sie sich das vorstellen? Jeder hat diesen Jungen geliebt. Er war der eine unter einer Million.«

»Welches Fach unterrichten Sie?«, fragte die Schwägerin Mr. Cantor.

»Sport.«

»Alan war verrückt nach allem, was mit Sport zu tun hatte«, sagte sie.»Und er war ein Musterschüler. Alle haben ihn geliebt.«

»Das weiß ich«, sagte Mr. Cantor.»Das sehe ich. Ich kann Ihnen nicht sagen, wie leid es mir tut.«

Als er unten durch die Haustür ins Freie treten wollte, kam eine Frau aus der Parterrewohnung, packte ihn erregt am

44

Hemdärmel und sagte:»Wo ist das Quarantäneschild? Andauernd kommen und gehen Leute rein und raus, rein und raus – warum ist hier kein Quarantäneschild? Ich habe kleine Kinder. Warum ist hier kein Quarantäneschild, das meine Kinder schützt? Sind Sie von der Gesundheitspolizei?«

»Ich weiß nichts von einer Gesundheitspolizei. Ich habe die Aufsicht auf dem Sportplatz. Ich bin Lehrer.«

»Wer ist denn dann zuständig?« Ihr Gesicht war verzerrt, sie war eine dunkle, kleine, von Angst niedergedrückte Frau. Sie sah aus, als wäre ihr Leben bereits zerstört worden – durch Polio und nicht durch die bloße Tatsache, dass ihre Kinder in unmittelbarer Nähe eines Polio-Opfers leben mussten. Sie sah nicht besser aus als Mr. Michaels.

»Ich nehme an, das Gesundheitsamt«, sagte Mr. Cantor.

»Wo sind dann die Leute vom Gesundheitsamt?«, rief sie verzweifelt.»Wo ist denn jemand, der zuständig ist? Die Leute draußen gehen nicht mal mehr an unserem Haus vorbei – sie wechseln die Straßenseite.« Wirr und außer sich fügte sie hinzu:»Das Kind ist schon tot, und ich warte immer noch auf das Quarantäneschild!« Sie stieß ein Kreischen aus wie Mr. Cantor es, außer in einem Horrorfilm, noch nie gehört hatte. Es war anders als ein Schrei. Es hätte mit elektrischem Strom erzeugt sein können. Es war ein langanhaltender, schriller Laut, anders als alle anderen menschlichen Laute, die er kannte, und er klang so unheimlich, dass es ihn kalt überlief.

Er hatte noch nicht zu Mittag gegessen und machte sich auf den Weg zu Syd's, um einen Hot Dog zu kaufen. Er ging mit Bedacht auf der schattigen Seite der Straße und glaubte, die Luft über dem gegenüberliegenden Bürgersteig der Chancellor Avenue vor Hitze flirren zu sehen. Die Straße hatte sich geleert. Es war einer jener überwältigenden Sommertage, an denen das Thermometer auf erstaunliche vierzig Grad stieg. Wenn der Sportplatz geöffnet gewesen wäre, hätte er Soft- und Basketballspiele abgebrochen und den Jungen gesagt, sie sollten im Schatten des Schulgebäudes Schach, Dame oder Tischtennis spielen. Viele nahmen Salztabletten, die ihre Mütter ihnen mitgaben, und wollten immer weiterspielen, ganz gleich, wie heiß es war, selbst wenn der Asphalt sich schwammig anfühlte und Wärme verströmte und die Sonne so heiß war, dass man dachte, sie würde die Haut nicht dunkel färben, sondern bleichen, bevor sie einen zu Asche verbrannte. Die Klage von Alans Vater klang ihm noch in den Ohren, und er fragte sich, ob er nicht für den Rest des Sommers ab dreiunddreißig Grad alle sportlichen Aktivitäten verbieten sollte. So würde er wenigstens irgendetwas tun – doch ob das etwas war, das der Ausbreitung der Polio entgegenwirkte, wusste er nicht.

Syd's war beinahe leer. Im Dunkel am hinteren Ende des Raums bearbeitete jemand fluchend den Flipperautomaten, und zwei Highschool-Jungen, die er nicht kannte, alberten an der Jukebox herum, die gerade *I'll Be Seeing You* spielte, einen der großen Hits dieses Sommers. Marcia hörte ihn gern, wenn er im Radio gespielt wurde, und wahrscheinlich war er beliebt bei all den Frauen und Freundinnen, deren Männer und Freunde in den Krieg gezogen waren. Er erinnerte sich, dass er und Marcia auf ihrer hinteren Veranda dazu getanzt hatten, in der Nacht vor ihrer Abreise nach Indian Hill. Sie hatten den Song gehört, sich im Arm gehalten, langsam getanzt und schon angefangen, einander zu vermissen, obwohl Marcia noch gar nicht fort gewesen war.

46

In den Nischen und auf den Hockern an der langen Theke saß niemand. Bucky setzte sich in die Nähe der Fliegentür, wo das bisschen frische Luft, das durch das Ausgabefenster zur Chancellor Avenue hereinkam, noch am ehesten spürbar war. Hinter der Theke standen zwei große Ventilatoren, doch das half so gut wie nichts: Es war heiß hier drinnen, und es roch nach Frittierfett.

Er bestellte einen Hot Dog und ein kaltes Ginger Ale und aß allein an der langen Theke. Draußen, auf der anderen Straßenseite, war wieder Horace, der in der betäubenden Äquatorhitze von Newark langsam den Hügel hinaufging, vermutlich zum Sportplatz, weil er nicht wusste, dass heute Samstag war und dass der Sportplatz an Samstagen im Sommer um zwölf Uhr geschlossen wurde. (Es war nicht ganz klar, ob er überhaupt wusste, was »Sommer«, »Sportplatz«, »geschlossen« oder »zwölf Uhr« bedeutete. Er überquerte nicht die Straße, und das hieß vermutlich, dass er zu den rudimentären Gedanken, die erforderlich waren, um das Konzept »Schatten« zu erfassen, nicht imstande war, ja dass er nicht einmal instinktiv Schatten suchte, wie es an einem Tag wie diesem jeder Hund getan hätte.) Horace würde um das Schulgebäude herumgehen und feststellen, dass niemand dort war. Was würde er dann tun? Stundenlang auf der Tribüne sitzen und auf die Jungen warten oder seine Wanderung durch die Straßen des Viertels fortsetzen, bei der er immer aussah wie ein Schlafwandler? Ja, Alan war tot, und die Polio gefährdete das Leben der Kinder in der Stadt, und dennoch fand Mr. Cantor es irgendwie deprimierend, Horace zuzusehen, während dieser ganz allein in der brüllenden Hitze durch die Straßen ging, einsam und hirnlos in einer glühenden Welt.

Wenn die Jungen Baseball spielten, setzte Horace sich entweder stumm auf das äußerste Ende der Bank, auf der die Mannschaft saß, die am Schlag war, oder er spazierte über das Spielfeld und blieb direkt neben einem der Spieler stehen. Alle kannten das und wussten, dass die einzige Methode, Horace loszuwerden – und sich wieder auf das Spiel zu konzentrieren –, darin bestand, dem Trottel herzlich die leblose Hand zu schütteln und zu sagen: »Hallo, Horace, wie geht's?«, worauf er, anscheinend zufriedengestellt, zum nächsten Spieler ging. Das war alles, was er vom Leben erwartete: dass ihm jemand die Hand schüttelte. Keiner der Jungen lachte ihn je aus oder ärgerte ihn – jedenfalls nicht, wenn Mr. Cantor in der Nähe war –, keiner außer den beiden wilden und ungebärdigen Kopferman-Brüdern. Myron und Danny waren starke, stämmige Jungen und gute Sportler – Myron war leicht erregbar und streitlustig, während Danny eher verdeckt und hintenherum agierte. Besonders der elfjährige Myron versprach ein regelrechter Sportplatztyrann zu werden und musste gebremst werden, wenn er die Mädchen beim Seilspringen störte oder es zwischen den Jungen zu Meinungsverschiedenheiten kam. Mr. Cantor verbrachte einen guten Teil seiner Zeit damit, dem unbeherrschten Myron den Geist des Fair Play zu vermitteln und ihn zu ermahnen, er solle Horace nicht ärgern.

»Sieh mal«, sagte Myron, »sieh mal, Horace. Sieh mal, was ich mache.« Wenn Horace sah, wie sich die Spitze von Myrons Turnschuh rhythmisch hob und senkte, begannen seine Finger zu zucken. Er wurde ganz rot im Gesicht und fuchtelte mit den Armen, als wollte er einen Bienenschwarm abwehren. Mr. Cantor hatte Myron Kopferman in diesem Sommer schon mehrmals ermahnen müssen, er solle damit aufhören und es nicht wieder tun.»Was denn? Was soll ich nicht tun?«, fragte der und verbarg seine Frechheit hinter einem breiten Grinsen. »Ich tappe doch bloß mit dem Fuß, Mr. Cantor – darf ich das etwa nicht?«»Hör einfach auf, Myron.« Danny, Myrons zehnjähriger Bruder, hatte eine Knallpistole, die wie ein echter Revolver aussah und die er in der Hosentasche mit sich herumtrug, selbst wenn er am zweiten Base stand. Wenn man abdrückte, gab es einen Knall und etwas Rauch. Danny schlich sich gern von hinten an andere Jungen an, um sie zu erschrecken, und Mr. Cantor ließ es ihm durchgehen, weil die anderen keine Angst vor ihm hatten. Aber eines Tages zielte Danny damit auf Horace und sagte ihm, er solle die Hände hochnehmen, und als Horace das nicht tat, drückte Danny fünfmal ab. Der Lärm und der Rauch ließen Horace aufheulen und mit unbeholfenen, plattfüßigen Schritten vor seinem Folterer fliehen. Mr. Cantor konfiszierte die Pistole und schloss sie in einer Schublade seines Schreibtischs ein, zusammen mit den Spielzeug-Handschellen, die Danny zu Beginn des Sommers mitgebracht hatte, um den kleineren Kindern Angst zu machen. Er schickte Danny Kopferman nach Hause und gab ihm, nicht zum ersten Mal, eine Benachrichtigung an seine Mutter mit, in der er schrieb, was ihr jüngster Sohn getan hatte. Allerdings bezweifelte er, dass sie den Brief je zu sehen bekommen würde.

Yushi, der Mann mit der senfverschmierten Schürze, der seit Jahren bei Syd's hinter der Theke stand, sagte:»Völlig tot hier.«

»Es ist ja auch heiß«, sagte Mr. Cantor.»Es ist Sommer. Alle sind entweder am Strand oder irgendwo drinnen, wo es kühl ist.«

»Nein, es kommt keiner wegen dem Jungen.«

»Alan Michaels.«

»Ja«, sagte Yushi. »Er hat hier einen Hot Dog gegessen, und dann ist er nach Hause gegangen und hat Kinderlähmung gekriegt und ist gestorben, und jetzt haben alle Angst, hier reinzukommen. Dabei ist das Quatsch. Von Hot Dogs kriegt man keine Kinderlähmung. Wir haben tausende von Hot Dogs verkauft, und keiner, der die gegessen hat, hat Kinderlähmung gekriegt. Aber dann wird ein Kind krank, und sofort heißt es: ›Das kommt von den Hot Dogs bei Syd's, das kommt von den Hot Dogs bei Syd's!‹ Ein gekochtes Würstchen – wie soll man von einem gekochten Würstchen Kinderlähmung kriegen?«

»Die Leute haben Angst«, sagte Mr. Cantor. »Die haben eine Heidenangst, und darum machen sie sich über alles mögliche Sorgen.«

»Es waren diese verdammten Itaker«, sagte Yushi.

»Das ist nicht wahrscheinlich«, sagte Mr. Cantor.

»Doch. Die haben überall hingespuckt.«

»Ich war da. Wir haben alles mit Ammoniak weggewaschen.«

»Sie haben die Spucke weggewaschen, aber nicht die Kinderlähmung. Die kann man nicht wegwaschen. Man kann sie nicht sehen. Sie schwebt in der Luft herum, und wenn man sie einatmet, kriegt man Kinderlähmung. Es hat nichts mit Hot Dogs zu tun.«

Mr. Cantor sagte nichts, sondern aß seinen Hot Dog, hörte *I'll Be Seeing You* zu Ende und sehnte sich mit einemmal nach Marcia.

I'll be seeing you in every lovely summer's day
In everything that's light and gay,
I'll only think of you that way …

»Und wenn der Junge nun bei Halem's ein Eis gegessen hätte, dann würde keiner mehr bei Halem's ein Eis essen«, sagte Yushi. »Und wenn er beim Chinesen Chow-mein gegessen hätte, dann würde keiner mehr beim Chinesen essen.«

»Vermutlich«, sagte Bucky.

»Und was ist mit dem anderen Jungen, der gestorben ist?«, fragte Yushi.

»Welcher andere Junge?«

»Na, der heute morgen gestorben ist.«

»Wer ist gestorben? Herbie Steinmark?«

»Ja. Der hat nie auch nur einen einzigen Hot Dog hier gegessen.«

»Sind Sie sicher, dass er gestorben ist? Woher wissen Sie das?«

»Irgendjemand kam rein und hat es erzählt. Ein paar Männer.«

Mr. Cantor bezahlte, und dann eilte er, trotz der Hitze und Angst vor ihr, zurück zum Sportplatz, rannte die Treppe zur Kellertür hinunter, schloss auf und ging in sein Büro. Er nahm den Telefonhörer und wählte die Nummer des Beth Israel Hospitals; sie stand auf dem Kärtchen mit Notfallnummern, das an dem Korkbrett über dem Apparat hing. Direkt darüber war eine zweite Karte, auf die er ein Zitat von Joseph Lee geschrieben hatte, dem Begründer der Playground-Bewegung. Mr. Cantor war bei seinem Studium am Panzer College darauf gestoßen, und es hing dort seit seinem ersten Tag als Lehrer.

»Für den Erwachsenen ist Spiel Erholung, die Wiederherstellung des Lebens; für das Kind dagegen ist Spiel Wachstum, die Erlangung des Lebens.« Daneben war ein Rundschreiben an alle Aufsichtspersonen auf den städtischen Sportplätzen befestigt, das am Vortag gekommen war:

Angesichts der Gefährdung, der die Kinder von Newark auf Grund der kürzlich aufgetretenen Fälle von Polio ausgesetzt sind, bitten wir Sie, die folgenden Anweisungen unbedingt zu beachten: Sollten Putzmittel nicht in ausreichendem Maße zur Verfügung stehen, bestellen Sie sie sofort. Reinigen Sie Waschbecken, Toilettenschüsseln, Böden und Wände täglich mit einem Desinfektionsmittel und sorgen Sie dafür, dass alles makellos sauber ist. Sämtliche Toiletten der Ihrer Aufsicht unterstellten Anlagen müssen besonders gründlich geputzt werden. Sorgen Sie persönlich und zuverlässig dafür, dass diese Anweisungen eingehalten werden, solange der gegenwärtige Ausbruch der Krankheit unsere Gemeinde gefährdet.

Er ließ sich mit der Patientenauskunft verbinden und fragte nach Herbert Steinmark. Man sagte ihm, der Patient befinde sich nicht mehr im Krankenhaus. »Aber er liegt in einer eisernen Lunge«, widersprach er. »Der Patient ist verstorben«, sagte die Frau am anderen Ende.

Verstorben. Wie konnte dieses Wort auf den lächelnden, unbeholfenen, dicklichen Herbie zutreffen? Er war von allen Jungen auf dem Sportplatz der ungeschickteste und liebenswerteste. Stets war er unter denen, die morgens halfen, die benötigten Sachen nach draußen zu bringen. An Seitpferd,

Barren, Ringen und Kletterseil war er ein hoffnungsloser Fall, doch weil er sich immer ehrlich bemühte und ein so angenehmes Wesen besaß, hatte Mr. Cantor ihm nie eine schlechtere Note als eine 2 gegeben. Der geborene Sportler Alan und der gänzlich unbegabte Sportler Herbie, dem jede körperliche Gewandtheit fehlte – beide hatten an dem Tag, als die Italiener gekommen waren, Baseball gespielt, und beide waren jetzt, im Alter von zwölf Jahren, an Kinderlähmung gestorben.

Mr. Cantor eilte in den Keller, zum Waschraum der Jungen. Seinem Kummer ausgeliefert und ohne zu wissen, was er dagegen tun sollte, holte er den Mopp, einen Eimer Wasser und einen Kanister Desinfektionsmittel und putzte, heftig schwitzend, den gesamten Boden. Dann ging er zornig, wütend in den Waschraum der Mädchen und putzte ihn ebenfalls. Schließlich nahm er den Bus nach Hause. Seine Hände und Kleider rochen nach Desinfektionsmittel.

Am nächsten Morgen polierte er, nachdem er gefrühstückt und sich rasiert hatte, seine guten Schuhe, zog seinen Anzug, ein weißes Hemd und eine Krawatte an und fuhr mit dem Bus zur Schley Street. Die Synagoge war ein niedriges, unansehnliches, schachtelförmiges Gebäude aus gelben Ziegeln und stand gegenüber von einem unbebauten Grundstück, das in einen Siegesgarten verwandelt worden war – vermutlich war es eben jener, in dem Alan sich so gewissenhaft um seine Gemüsebeete gekümmert hatte. Mr. Cantor sah ein paar Frauen, die sich mit Strohhüten gegen die Sonne schützten und in schmalen Beeten neben einer Reklametafel Unkraut jäteten. Am Bürgersteig waren einige Wagen geparkt. Direkt vor der

Synagoge stand der schwarze Leichenwagen; der Fahrer polierte die vorderen Kotflügel mit einem Tuch. Im Wagen konnte Mr. Cantor den Sarg sehen, eine blasse, schmucklose Holzkiste. Es war unvorstellbar, dass Alan darin lag, nur weil er eine Sommerkrankheit bekommen hatte. In dieser Kiste, aus der es keine Wiederkehr gab. In dieser Kiste, in der ein Zwölfjähriger für immer zwölf Jahre alt blieb. Wir anderen leben und werden jeden Tag älter, aber er bleibt für immer zwölf. Millionen Jahre vergehen, doch er ist noch immer zwölf.

Mr. Cantor zog die zusammengefaltete Yarmulke aus der Hosentasche, setzte sie auf, ging in die Synagoge und nahm in einer der letzten Reihen Platz. Er verfolgte die Gebete im Gebetbuch und sprach die Rezitationen mit. Mitten im Gottesdienst schrie plötzlich eine Frau: »Sie ist ohnmächtig geworden!« Rabbi Slavin hielt nur kurz inne und fuhr dann fort, während ein Mann – höchstwahrscheinlich ein Arzt – durch den Mittelgang nach hinten und dann die Treppe hinauf zur Galerie eilte, um sich um die Ohnmächtige zu kümmern. In der Synagoge war es mindestens vierunddreißig Grad warm, auf der Galerie womöglich noch wärmer. Kein Wunder, dass jemand ohnmächtig geworden war. Wenn der Gottesdienst nicht bald zu Ende war, würden noch mehr Leute ringsum in Ohnmacht fallen. Selbst Mr. Cantor fühlte sich etwas flau in seinem Anzug, einem Wollanzug, der eigentlich für den Winter bestimmt war.

Der Platz neben ihm war leer. Er wünschte, Alan würde kommen und sich darauf setzen. Er wünschte, Alan würde mit seinem Baseballhandschuh kommen und sich neben ihn setzen, wie er es so oft auf der Tribüne getan hatte, um das Sandwich aus seinem Lunchpaket zu essen.

Die Rede hielt Isadore Michaels, Alans Onkel, dessen Apotheke an der Ecke Wainwright und Chancellor Avenue stand und den seine Kunden nur Doc nannten. Er war ein jovialer Mann, untersetzt und mit dunklem Teint wie Alans Vater und denselben Flecken unter den Augen. Er war der einzige, der eine Rede hielt, denn niemand sonst in der Familie hatte seine Gefühle so weit im Griff, dass er dazu imstande gewesen wäre. Man hörte viele weinen, nicht nur auf der Galerie.

»Zwölf Jahre lang hat Gott uns mit Alan Avram Michaels gesegnet«, sagte sein Onkel Isadore und lächelte tapfer. »Er hat mich gesegnet mit einem Neffen, den ich vom Tag seiner Geburt an von Herzen geliebt habe, als wäre er mein eigenes Kind. Jeden Tag kam Alan auf dem Heimweg von der Schule in mein Geschäft, setzte sich an die Theke und bestellte eine kalte Malzschokolade. Als er in die Schule kam, war er dünn wie ein Fädchen, und ich wollte ihn etwas auffüttern; wenn ich gerade keinen Kunden hatte, machte ich die Malzschokolade selbst und tat eine Extraportion Malz hinein, damit er Fleisch auf die Knochen bekam und groß und stark wurde. Es wurde zu einem Ritual und ging Jahr um Jahr so. Und wie ich die Besuche meines wunderbaren Neffen genoss!«

Er musste einen Augenblick innehalten, um sich zu fassen.

»Alan«, fuhr er fort, »kannte sich aus mit tropischen Fischen. Er wusste wie ein Fachmann, was man bei den verschiedenen Arten von Fischen zu beachten hatte. Und es gab nichts Spannenderes, als ihn zu besuchen, mit ihm vor dem Aquarium zu sitzen und ihm zuzuhören, wenn er einem alles über jeden einzelnen Fisch erklärte, wie sie sich vermehrten und so weiter. Man konnte eine Stunde mit ihm da sitzen, und noch immer war sein Wissen nicht erschöpft. Wenn man mit Alan zusammen gewesen war, hatte man gute Laune und ein Lächeln auf dem Gesicht und obendrein noch etwas gelernt. Wie hat er das nur gemacht? Wie konnte dieses Kind für uns Erwachsene so viel tun? Was war Alans Geheimnis? Sein Geheimnis war, dass er jeden Tag lebte, dass er in allem ein Wunder sah und sich über alles freute – ob es jetzt die Malzschokolade nach der Schule war oder ob es seine tropischen Fische waren oder das, was er gerade in der Schule gelernt hatte, oder all die Sportarten, für die er so begabt war, oder die Arbeit in seinem Siegesgarten. Alan hat in seinen zwölf Jahren mehr Freude erfahren als die meisten in einem langen Leben. Und er hat anderen mehr Freude bereitet als die meisten in einem langen Leben. Alans Leben ist zu Ende gegangen ...«

Hier musste er abermals innehalten, und als er fortfuhr, war seine Stimme belegt, und in seinen Augen standen Tränen.

»Alans Leben ist zu Ende gegangen«, wiederholte er, »doch in unserem Kummer sollten wir uns ins Bewusstsein rufen, dass es für ihn zeit seines Lebens endlos war. Jeder Tag war endlos, weil Alan so neugierig war. Jeder Tag war endlos, weil Alan so scharfsinnig war. Er war sein Leben lang ein Kind, ein glückliches Kind, und alles, was er getan hat, hat er mit Leib und Seele getan. Es gibt auf dieser Welt weit schlimmere Schicksale.«

Anschließend wartete Mr. Cantor vor der Synagoge darauf, Alans Familie sein Beileid aussprechen und dem Onkel für seine Rede danken zu können. Wer Doc Michaels in seinem weißen Kittel in der Apotheke stehen sah, wo er die verschriebenen Tabletten abzählte, wäre wohl nicht auf den Gedanken gekommen, er könnte ein großer Redner sein, der mit der Kraft seiner Worte alle möglichen Mitglieder der Gemeinde, sei es auf der Galerie oder unten, zu Tränen rühren konnte.

Mr. Cantor sah vier Jungen aus dem Gebäude kommen, die er vom Sportplatz kannte: Spector, Sobelsohn, Taback und Finkelstein. Sie trugen schlecht sitzende Anzüge, weiße Hemden, Krawatten und harte Schuhe, und Schweiß lief ihnen über das Gesicht. Es war nicht ausgeschlossen, dass das Härteste, was dieser Tag zu bieten hatte, nicht ihre erste unmittelbare Konfrontation mit dem Tod war, sondern vielmehr die Tatsache, dass sie in dieser Hitze auch noch von gestärkten Kragen und Krawatten erstickt wurden. Aber sie hatten sich ihre besten Kleider angezogen und waren zur Synagoge gekommen, und Mr. Cantor ging zu ihnen, drückte jedem kurz die Schulter und klopfte ihnen auf den Rücken. »Alan hätte sich gefreut, dass ihr gekommen seid«, sagte er mit gedämpfter Stimme. »Das war sehr anständig.«

Jemand berührte seine Schulter. »Bei wem fahren Sie mit?«

»Was?«

»Da …« Der Mann zeigte auf einen Wagen, der in einigem Abstand zum Leichenwagen parkte. »Da, fahren Sie mit den Beckermans.« Er schob Mr. Cantor in Richtung einer Plymouth Limousine, die am Straßenrand stand.

Er hatte nicht zum Friedhof mitfahren, sondern nach dem Trauergottesdienst zu seiner Großmutter zurückkehren wollen, um ihr bei den am Wochenende anfallenden Hausarbeiten zu helfen, doch er stieg in den Wagen, dessen Tür sich für ihn öffnete, und setzte sich auf den Rücksitz neben eine Frau mit Hut und Schleier, die sich mit einem Taschentuch Luft ins Gesicht fächelte, dessen Puderschicht von Schweißspuren durchzogen war. Auf dem Fahrersitz saß ein stämmiger, nicht sonderlich großer Mann in einem dunklen Anzug, dessen Nase, wie die von Mr. Cantors Großvater und möglicherweise aus denselben antisemitischen Gründen, gebrochen war. Neben ihm saß ein dunkelhaariges Mädchen von fünfzehn, sechzehn Jahren, das ihm als Alans Cousine Meryl vorgestellt wurde. Die beiden älteren Beckermans waren Alans Onkel und Tante mütterlicherseits. Mr. Cantor sagte, er sei einer von Alans Lehrern.

Sie mussten etwa zehn Minuten in dem heißen Wagen sitzen und warten, bis sich der Beerdigungszug hinter dem Leichenwagen formiert hatte. Mr. Cantor versuchte, sich an alles zu erinnern, was Isadore Michaels in seiner wunderbaren Rede gesagt hatte, besonders an die Stelle, wo es darum gegangen war, dass Alan sein Leben, solange er es gelebt hatte, unendlich erschienen war – doch er landete immer wieder bei der Vorstellung, dass Alan in seinem Sarg gebraten wurde wie ein Stück Fleisch.

Sie fuhren die Schley Street bis zur Chancellor Avenue, wo sie links abbogen, und dann ging es die Chancellor Avenue hinauf, vorbei an der Apotheke von Alans Onkel und der Grundschule und der Highschool auf dem Hügel. Es gab kaum anderen Verkehr; die meisten Geschäfte waren geschlossen, bis auf das von Tabatchnick, der sonntags morgens geräucherten Fisch verkaufte, die Eckläden, in denen es Zeitungen gab, und die Bäckereien, in denen man Brot und Bagels für das Sonntagsfrühstück bekam. In den zwölf Jahren seines Lebens war Alan sicher tausendmal auf dieser Straße unterwegs gewesen: Er war zur Schule und zum Sportplatz gegangen, er hatte für seine Mutter eingekauft und bei Halem's seine Freunde getroffen, er war den ganzen Weg den Hügel hinauf und auf der anderen Seite hinunter zum Weequahic Park gegangen, um zu angeln, Schlittschuh zu laufen oder auf dem See zu rudern. Jetzt fuhr er zum letzten Mal die Chancellor Avenue entlang, an der Spitze eines Trauerzuges und in einem Sarg. Wenn es in diesem Wagen so heiß ist, dachte Mr. Cantor, wie heiß muss es dann erst in dieser Kiste sein?

Alle im Wagen schwiegen, bis sie den Gipfel des Hügels beinahe erreicht hatten und an Syd's Hot Dogs vorbeikamen. »Warum musste er auch in diesem Drecksloch essen?«, sagte Mrs. Beckerman. »Warum konnte er nicht warten und zu Hause etwas aus dem Eisschrank nehmen? Warum darf diese Kaschemme überhaupt geöffnet haben, so nah bei einer Schule? Noch dazu im Sommer.«

»Edith«, sagte Mr. Beckerman, »beruhige dich.«

»Ma«, sagte Alans Cousine Meryl, »alle Schüler essen da. Es ist ein Treffpunkt.«

»Es ist eine Brutstätte«, sagte Mrs. Beckerman. »Dass ein so verständiger Junge wie Alan mitten in der Polio-Saison dorthin gegangen ist, bei dieser Hitze –«

»Genug, Edith. Es ist heiß. Das wissen wir.«

»Da ist seine Schule«, fuhr sie fort, als sie auf dem Gipfel des Hügel an der hellen Steinfassade der Grundschule vorbeifuhren, in der Mr. Cantor unterrichtete. »Wie viele Kinder lieben die Schule so sehr wie Alan? Von Anfang an hat er die Schule geliebt.«

Mr. Cantor hatte den Eindruck, dass diese Bemerkung an ihn als einen Repräsentanten der Schule gerichtet war, und sagte: »Er war ein ausgezeichneter Schüler.«

»Und da ist die Weequahic Highschool, wo er ebenfalls ein ausgezeichneter Schüler gewesen wäre. Er wollte Latein nehmen. Latein! Ich hatte einen Spitznamen für ihn: Ich habe ihn immer Professor genannt.«

»Ja, das passt«, sagte Mr. Cantor und dachte an Alans Vater

in dem halbdunklen Zimmer, an seinen Onkel in der Synagoge und seine Tante hier im Wagen – sie alle priesen ihn aus demselben Grund: weil Alan es verdient hatte. Sie würden für den Rest ihres Lebens um diesen wunderbaren Jungen trauern.

»Auf dem College«, sagte Mrs. Beckerman, »wollte er Naturwissenschaften belegen. Er wollte Wissenschaftler werden und Krankheiten heilen. Er hat ein Buch über Louis Pasteur gelesen und wusste alles über Pasteur und wie er entdeckt hat, dass Keime unsichtbar sind. Er wollte ein zweiter Louis Pasteur werden«, sagte sie und beschrieb eine Zukunft, die es nie geben würde. »Statt dessen«, sagte sie, »musste er einen Hot Dog essen, in diesem Drecksloch, wo es von Keimen nur so *wimmelt*.«

»Edith, es reicht«, sagte Mr. Beckerman. »Wir wissen nicht, wie er sich angesteckt hat. Kinderlähmung gibt es in der ganzen Stadt. Es ist eine Epidemie, sie kann überall zuschlagen. Er hat diese Krankheit gekriegt und ist daran gestorben. Das ist schrecklich, aber mehr wissen wir nicht. Alles andere ist bloß Gerede und bringt niemanden weiter. Wir wissen nicht, wie seine Zukunft ausgesehen hätte.«

»Doch!«, rief sie aufgebracht. »Dieser Junge hätte alles werden können!«

»Gut, du hast recht. Ich will mich nicht streiten. Aber jetzt lass uns einfach zum Friedhof fahren und den Jungen anständig beerdigen – das ist alles, was wir für ihn noch tun können.«

»Und die beiden anderen«, sagte Mrs. Beckerman. »Gott verhüte, dass ihnen etwas passiert.«

»Sie haben's bis jetzt geschafft«, sagte Mr. Beckerman, »und den Rest werden sie auch noch durchstehen. Bald ist der Krieg vorbei, und dann kommen Lenny und Larry wieder nach Hause.«

»Aber sie werden ihren kleinen Bruder nie mehr wiedersehen. Alan wird immer noch tot sein«, sagte sie. »Er wird nie zurückkehren.«

»Edith«, sagte er, »das wissen wir doch. Du redest und redest und sagst nichts, das nicht alle schon wüssten.«

»Lass sie doch, Dad«, sagte Meryl.

»Aber wozu soll das gut sein?«, sagte Mr. Beckerman.

»Es tut gut«, sagte das Mädchen. »Ihr tut es gut.«

»Danke, mein Schatz«, sagte Mrs. Beckerman.

Alle Fenster des Wagens waren heruntergekurbelt, und doch fühlte Mr. Cantor sich, als wäre er nicht in einen Anzug, sondern in eine Wolldecke gehüllt. Der Zug hatte den Park erreicht, bog nach rechts in die Elizabeth Avenue ein und fuhr durch Hillside und über den Bahnübergang nach Elizabeth. Mr. Cantor hoffte, dass es nicht mehr lange dauerte, bis sie den Friedhof erreicht hätten. Wenn Alan noch länger im Sarg gebraten würde, dann würde es diesen, so stellte er sich vor, irgendwie zerreißen, als wäre eine Granate darin explodiert, und die sterblichen Überreste des Jungen würden sich überall im Leichenwagen und auf der Straße verteilen.

Warum schlägt Polio nur im Sommer zu? Auf dem Friedhof stand er, barhäuptig bis auf die Yarmulke, in der Mittagshitze und fragte sich, ob diese Krankheit nicht von der Sommerhitze selbst hervorgerufen wurde. In diesem Augenblick schien die Sonne stark genug, um zu lähmen, zu verkrüppeln, zu töten. Jedenfalls schien sie eher imstande zu sein, einen Menschen niederzustrecken, als die mikrokosmischen Keime in einem Hot Dog.

Ein Grab war ausgehoben worden. Es war erst das zweite

offene Grab, das Mr. Cantor zu sehen bekam. Das erste war das seines Großvaters gewesen, vor drei Jahren, kurz vor dem Krieg. Damals war er während der Zeremonie am Grab ganz davon in Anspruch genommen gewesen, seine Großmutter zu stützen und ihren Arm zu halten, damit sie nicht in sich zusammensank. Danach war er so sehr damit beschäftigt, sich um sie zu kümmern und jeden Abend bei ihr zu sein und sie schließlich einmal pro Woche ins Kino und auf ein Eis auszuführen, dass es lange dauerte, bis er Zeit fand, sich seines eigenen Verlustes bewusst zu werden. Doch jetzt, da der Sarg in das Grab hinabgelassen wurde und Mrs. Michaels ihn festhalten wollte und schrie: »Nein! Nicht mein Kind!«, offenbarte sich ihm der Tod als ebenso mächtig wie die unablässig auf seinen mit der Yarmulke bedeckten Kopf einhämmernde Sonne.

Sie beteten mit dem Rabbi die Totenklage, wobei sie Gott wiederholt für Seine Allmacht priesen. Sie sparten nicht mit Lob für einen Gott, der dem Tod erlaubte, alles – auch Kinder – zu zerstören. Zwischen dem Tod von Alan Michaels und dem gemeinsam zum Preis Gottes gesprochenen Kaddisch hatte Alans Familie kaum mehr als vierundzwanzig Stunden Zeit gehabt, Gott für das, was Er getan hatte, zu hassen und zu verabscheuen. Doch vermutlich waren sie gar nicht auf den Gedanken gekommen, sie dürften derlei tun, jedenfalls nicht ohne Gottes Zorn und als Strafe den Tod ihrer anderen beiden Söhne herabzubeschwören.

Was der Familie Michaels vielleicht nicht eingefallen war, fiel Mr. Cantor jedoch sehr wohl ein. Er hatte Gott nicht gehasst, weil Er ihm seinen Großvater genommen hatte, als dieser ein dem Sterben angemessenes Alter erreicht hatte. Aber

Alan Michaels durch Polio umzubringen? Polio überhaupt
entstehen zu lassen? Wie konnte es angesichts von derart
wahnsinniger Grausamkeit Vergebung – geschweige denn Hal-
lelujahs – geben? Es wäre Mr. Cantor viel weniger anstößig
erschienen, wenn die Trauernden sich als Zelebranten der Ma-
jestät eines Sonnengottes bekannt hätten, als Kinder einer im-
merwährenden Sonnengottheit, wenn sie sich, inbrünstig wie
die uralten Kulturen unserer Hemisphäre, einem rituellen
Sonnentanz um das Grab des Jungen hingegeben hätten – lieber das, lieber die ungebrochenen Strahlen des Großen Vaters
Sonne verehren und besänftigen als sich demütig einem höchsten Wesen unterwerfen, das nach Belieben die abscheulichsten
Verbrechen verübte. Ja, es war weit besser, den unersetzlichen
Schöpfer zu preisen, der unser Leben von Anbeginn überhaupt erst möglich gemacht hatte, weit besser, im Gebet die
sinnlich erfahrbare tägliche Begegnung mit diesem allgegen-
wärtigen goldenen Auge am blauen Gewölbe des Himmels
zu verehren, das die Erde zu Asche verbrennen konnte, als die
offizielle Lüge zu schlucken, Gott sei Liebe und Güte, und
vor einem kaltblütigen Kindermörder im Staub zu kriechen.
Das war besser für die Würde, für das Gefühl der Menschlich-
keit und des eigenen Wertes, ganz zu schweigen von der alltäg-
lichen Einschätzung dessen, was zum Teufel hier eigentlich
los war.

J'hei sch'mei raba m'vorach, l'allam, u'l'allmei allmaja.
Sein großer Name sei gepriesen in Ewigkeit und Ewigkeit
der Ewigkeiten.
Jitbarach, ve jischtabach ve jispaar, ve jisromam, ve jisnasei,
Gepriesen sei und gerühmt, verherrlicht, erhoben, erhöht,

Ve jishadar, ve jisaleih, ve jishalal schemeih
d'kudschah.

Gefeiert, hocherhoben und gepriesen sei der Name des
Heiligen.

B'rich hu …

Gelobt sei Er …

Während des Gebetes am Grab dieses Kindes sagte die Gemeinde viermal:»*Omein.*«

Erst als der Trauerzug die weite Fläche voller Grabsteine
hinter sich ließ und durch das Tor auf die McClellan Street
fuhr, erinnerte er sich plötzlich daran, dass er als Junge den
jüdischen Friedhof an der Grove Street besucht hatte, wo
seine Mutter und jetzt sein Großvater begraben waren und
wo auch seine Großmutter und er selbst beerdigt werden
würden. Seine Großeltern waren jedes Jahr zum Geburtstag
seiner Mutter mit ihm dorthin gegangen, obwohl er sich schon
bei seinem ersten Besuch nicht hatte vorstellen können, dass
sie tatsächlich dort war. Er stand zwischen seinen weinenden
Großeltern, und immer war ihm so, als würde er bei einem
Spiel mitmachen, in dem man so tat, als wäre es so – nirgends
war das Gefühl, dass er eine Mutter gehabt habe, sei lediglich
eine Geschichte, stärker als auf dem Friedhof. Doch obwohl er
wusste, dass dieser jährliche Besuch das Absonderlichste war,
was man von ihm verlangte, weigerte er sich nie mitzugehen.
Wenn es erforderlich war, um einer Mutter, die nirgends in
sein Gedächtnis eingewoben war, ein guter Sohn zu sein, dann
tat er es, auch wenn er sich dabei fühlte, als würde er bloß eine
Rolle spielen.

Wenn er versuchte, am Grab einen angemessenen Gedanken zu fassen, fiel ihm immer die Geschichte von seiner Mutter und dem Fisch ein, die seine Großmutter ihm erzählt hatte. Von all ihren Geschichten – harmlosen Vorbildgeschichten darüber, wie gut Doris in der Schule gewesen war, wie hilfsbereit im Haushalt, wie sie es als Kind geliebt hatte, im Laden an der Kasse zu sitzen, genau wie er – hatte sich diese am tiefsten in sein Gedächtnis eingegraben. Das unvergessene Ereignis hatte an einem Frühlingsnachmittag lange vor seiner Geburt und ihrem Tod stattgefunden: Seine Großmutter ging im Zuge der Vorbereitungen für das Passahfest stets zum Fischgeschäft an der Avon Avenue, um zwei lebende Karpfen aus dem Aquarium auszusuchen. Diese brachte sie dann in einem Eimer nach Hause und setzte sie in die mit Wasser gefüllte Zinkwanne, in der die Familie sonst badete. Dort blieben die Fische, bis es an der Zeit war, ihnen Köpfe und Schwänze abzuschneiden, sie zu schuppen und zu kochen und Gefilte Fisch daraus zu bereiten. Eines Tages nun, als Mr. Cantors Mutter fünf Jahre alt war, kam sie vom Kindergarten nach Hause, sah die Fische, zog rasch ihre Kleider aus und stieg in die Wanne, um mit ihnen zu spielen. Seine Großmutter entdeckte sie, als sie aus dem Laden hinauf in die Wohnung ging, um dem Kind etwas zu essen zu machen. Seinem Großvater erzählten die beiden nichts, aus Angst, er könnte das Mädchen bestrafen. Selbst als die Großmutter dem kleinen Jungen die Geschichte erzählte – zu der Zeit war er selbst noch im Kindergarten –, ermahnte sie ihn, dem Großvater nichts davon zu sagen, um ihn nicht aufzuregen, denn in den ersten Jahren nach dem Tod seiner geliebten Tochter konnte er seine Trauer nur beherrschen, indem er nie von ihr sprach.

Es mochte seltsam sein, dass Mr. Cantor am Grab seiner Mutter an diese Geschichte dachte – aber welche unvergesslichen Erinnerungen hätte er sonst haben sollen?

Gegen Ende der nächsten Woche hatte Weequahic von allen Schulbezirken der Stadt die höchste Anzahl von Poliofällen. Der Sportplatz war geografisch davon eingekreist: Gleich gegenüber, in der Hobson Street, hatte es die zehnjährige Lillian Sussman getroffen, auf der anderen Seite, in der Bayview Avenue, die sechsjährige Barbara Friedman. Beide gehörten nicht zu den Mädchen, die auf dem Sportplatz seilsprangen – seit dem Ausbruch der Polio erschienen ohnehin nur noch weniger als die Hälfte von ihnen. Und in der Vassar Avenue waren die beiden Kopferman-Brüder Danny und Myron erkrankt. Mr. Cantor kannte sie nicht nur vom Sportplatz, wo er sie mehrmals hatte ermahnen müssen, Horace nicht zu quälen, sondern auch vom Sportunterricht in der Schule. Er rief die Kopfermans am Abend des Tages an, an dem er es erfahren hatte, und bekam Mrs. Kopferman an den Apparat.

Er erklärte ihr, wer er sei und warum er anrufe.

»Sie!«, rief Mrs. Kopferman. »Sie wagen es, hier anzurufen?«

»Entschuldigung?«, sagte Mr. Cantor. »Ich verstehe nicht.«

»Was verstehen Sie nicht? Sie verstehen nicht, dass man im Sommer seinen Kopf gebraucht, wenn die Kinder in der Hitze herumrennen? Dass man sie nicht aus öffentlichen Trinkbrunnen trinken lässt? Dass man auf sie achtgibt, wenn sie verschwitzt sind? Haben Sie die Augen gebraucht, die Gott Ihnen gegeben hat, und während der Polioepidemie auf die Kinder geachtet? Nein! Kein bisschen!«

»Mrs. Kopferman, ich versichere Ihnen, dass ich auf alle Jungen gut achtgebe.«

»Und warum habe ich dann zwei gelähmte Jungen? Zwei! Erklären Sie mir das! Sie lassen sie da oben herumrennen wie Tiere – und dann wundern Sie sich, wenn sie Kinderlähmung kriegen! Weil Sie nicht aufgepasst haben! Weil es gedankenlose Idioten wie Sie gibt!« Und damit legte sie auf.

Er hatte von der Küche aus angerufen, gleich nachdem er den Abendbrottisch abgeräumt hatte. Seine Großmutter hatte er nach unten geschickt, damit sie sich vor dem Haus ein wenig zu den Nachbarn setzte. Die Hitze des Tages hatte kaum nachgelassen, und drinnen war es schwül und stickig. Als er den Hörer auflegte, war er schweißgebadet, obwohl er vor dem Essen noch geduscht und sich umgezogen hatte. Er wollte, sein Großvater wäre noch am Leben, damit er mit ihm sprechen könnte! Er wusste, dass Mrs. Kopferman hysterisch und vom Schmerz überwältigt war, dass sie blindlings zuschlug und die Beschuldigungen nicht zutrafen. Dennoch hätte er gern den Großvater an seiner Seite gehabt, damit der ihm versicherte, er habe durch nichts von dem, was sie ihm vorgeworfen hatte, Schuld auf sich geladen. Es war seine erste unmittelbare Begegnung mit dem Klang des rasenden Hasses, der wüsten Anschuldigungen und der Verachtung, und es belastete ihn mehr als die Auseinandersetzung mit zehn bedrohlichen Italienern auf dem Sportplatz.

Es war sieben Uhr, und draußen war es noch hell, als er über die hölzerne Außentreppe hinunterging, um sich für einen Augenblick zu den Nachbarn zu setzen, bevor er einen Spaziergang machte. Seine Großmutter war ebenfalls dort und hatte zum Schutz gegen die Moskitos eine Zitronellenkerze angezündet. Man saß auf Klappsesseln und sprach über die Polioepidemie. Die Älteren, zu denen auch seine Großmutter gehörte, hatten noch die Epidemie von 1916 erlebt und beklagten, dass es seither niemandem gelungen war, ein Heilmittel oder wenigstens einen Weg zu finden, wie man die Ausbreitung unterbinden könnte. Seht euch Weequahic an, sagten sie, das sauberste Viertel in der ganzen Stadt, und jetzt sind wir am schwersten betroffen. Jemand sagte, man überlege, ob man den schwarzen Putzfrauen verbieten solle, nach Weequahic zu kommen, aus Sorge, sie könnten die Kinderlähmung aus den Slums einschleppen. Ein anderer sagte, seiner Meinung nach werde die Krankheit durch Geld übertragen, durch das Papiergeld, das von Hand zu Hand ging. Es sei wichtig, fuhr er fort, sich jedesmal, wenn man Papiergeld oder Münzen angefasst habe, die Hände zu waschen. Und was ist mit der Post?, fragte einer. Könnte es nicht sein, dass die Viren mit der Post verbreitet werden? Denkt doch mal an all die Leute, durch deren Hände die Briefe gehen. Und was willst du dagegen tun?, fragte ein anderer. Soll die Post nicht mehr zugestellt werden? Dann käme die Stadt ja praktisch zum Stillstand.

Vor sechs, sieben Wochen noch hätte man über den Krieg gesprochen.

Er hörte das Telefon läuten und merkte, dass das Geräusch von oben, aus der Wohnung, kam. Das musste Marcia sein, die aus dem Sommercamp anrief. Im vergangenen Jahr hatten sie sich während der Unterrichtszeit jeden Tag ein- oder zweimal auf dem Korridor gesehen und die meisten Wochenenden zusammen verbracht, und jetzt waren sie zum ersten Mal für längere Zeit voneinander getrennt. Marcia fehlte ihm, und die Familie Steinberg, die ihn von Anfang an sehr freundlich, ja herzlich behandelt hatte, fehlte ihm ebenfalls. Marcias Vater war Arzt, ihre Mutter war früher Englischlehrerin an einer Highschool gewesen, und sie wohnten, zusammen mit Marcias beiden jüngeren Schwestern – es waren Zwillinge, die in die sechste Klasse gingen – in einem gemütlichen, geräumigen Haus in der Goldsmith Avenue, ein paar Meter von der Elizabeth Avenue entfernt, wo Dr. Steinberg seine Praxis hatte. Nachdem Mrs. Kopferman ihm vorgeworfen hatte, er habe sträflich fahrlässig gehandelt, hatte Mr. Cantor daran gedacht, Dr. Steinberg aufzusuchen, um mit ihm über diese Epidemie zu sprechen und mehr über diese Krankheit zu erfahren. Dr. Steinberg war ein gebildeter Mann (und in dieser Hinsicht ganz anders als Mr. Cantors Großvater, der nie ein Buch las), und wenn er etwas sagte, war Mr. Cantor überzeugt, dass der Arzt wusste, wovon er sprach. Er war kein Ersatz für den Großvater – und ganz gewiss kein Ersatz für einen eigenen echten Vater –, aber er war jetzt der Mann, den er am meisten bewunderte und auf dessen Urteil er sich verlassen konnte. Bei ihrer ersten Verabredung hatte er Marcia nach ihrer Familie gefragt, und sie hatte ihren Vater als einen Menschen beschrieben, der nicht nur wunderbar im Umgang mit seinen Patienten war, sondern auch dafür zu sorgen verstand, dass alle Familienmitglieder zufrieden waren, und alle kleinen Streitigkeiten zwischen ihren Schwestern gerecht schlichtete. Es gab keinen besseren Menschenkenner als ihn. »Meine Mutter«, sagte sie, »nennt ihn ›das unbestechliche Thermometer der emotionalen Familientemperatur‹. Ich kenne keinen Arzt«, fuhr sie fort, »der menschlicher ist als mein Vater.«

»Du bist es!«, rief er, als er die Treppe hinaufgerannt war und den Hörer abgenommen hatte. »Hier ist es schrecklich heiß. Nach sieben und trotzdem noch so heiß wie mittags. Man hat das Gefühl, die Thermometer sind kaputt. Wie geht es dir?«

»Ich muss dir was sagen. Ich habe wunderbare Neuigkeiten. Stell dir vor«, sagte sie, »Irv Schlanger hat gerade seinen Einberufungsbefehl gekriegt. Er verlässt uns, und sie brauchen einen Ersatz. Sie brauchen dringend einen, der für den Rest der Ferien die Badeaufsicht führt. Ich hab Mr. Blomback von dir erzählt, und er will dich einstellen, unbesehen.«

Mr. Blomback war der Besitzer und Leiter von Indian Hill und ein alter Freund der Steinbergs. Bevor er das Camp gegründet hatte, war er ein junger Konrektor an einer Highschool in Newark und Mrs. Steinbergs Vorgesetzter gewesen, als sie ihre Laufbahn als Lehrerin begonnen hatte.

»Aber Marcia«, sagte Mr. Cantor, »ich habe doch schon eine Stelle.«

»Aber so könntest du der Epidemie aus dem Weg gehen. Ich mache mir solche Sorgen um dich, Bucky. In der heißen Stadt mit all den Kindern. In so engem Kontakt mit ihnen – und genau in dem Viertel, das am meisten betroffen ist. Und dann diese Hitze, jeden Tag diese Hitze.«

»Ich habe auf dem Sportplatz an die neunzig Jungen, und bis jetzt waren darunter nur vier Poliofälle.«

»Aber zwei *Tote*«, rief sie.

»Trotzdem kann man nicht sagen, dass unter ihnen eine Epidemie wütet, Marcia.«

»Ich meinte ganz Weequahic. Es ist das am stärksten betroffene Viertel der Stadt. Und dabei ist noch nicht mal August, und das ist der schlimmste Poliomonat von allen – dann könnten es zehnmal so viele Fälle sein. Bitte, Bucky. Gib diesen Job auf. Du könntest hier in Indian Hill die Aufsicht am Badestrand der Jungen haben. Die Kinder sind toll, die anderen Betreuer sind toll, Mr. Blomback ist toll – es wird dir gefallen. Du könntest jedes Jahr die Badeaufsicht machen, und wir könnten jeden Sommer zusammen hier arbeiten. Wir könnten zusammen sein wie ein Paar, und du wärst in Sicherheit.«

»Ich bin auch hier in Sicherheit, Marcia.«

»Nein, bist du nicht!«

»Ich kann meinen Job nicht hinwerfen. Das ist mein erstes Jahr. Ich kann doch diese Jungen nicht im Stich lassen. Es sind großartige Jungen, ich kann sie nicht hängenlassen. Sie brauchen mich jetzt mehr denn je. Ich muss mich um sie kümmern.«

»Du bist ein guter, hingebungsvoller Lehrer, aber das heißt nicht, dass du im Feriensportprogramm der Stadt unersetzlich bist. *Ich* brauche dich jetzt mehr denn je. Ich liebe dich so sehr. Du fehlst mir so sehr. Mir wird ganz anders bei dem Gedanken, es könnte dir etwas zustoßen. Was soll es unserer Zukunft nützen, dass du dich in Gefahr bringst?«

»Dein Vater hat die ganze Zeit mit kranken Menschen zu tun. Machst du dir um ihn auch so viele Sorgen?«

»Willst du die Wahrheit wissen? In diesem Sommer? Ja. Gott sei Dank sind meine Schwestern auch hier im Feriencamp. Ja, ich mache mir Sorgen um meinen Vater und meine Mutter und alle anderen, die ich liebe.«

»Und würdest du von deinem Vater verlangen, wegen der Polio seine Praxis zu schließen, die Sachen zu packen und seine Patienten im Stich zu lassen?«

»Mein Vater ist Arzt. Sich um kranke Menschen zu kümmern, ist sein Beruf. Deiner aber nicht. Dein Beruf ist es, dich um *gesunde* Menschen zu kümmern, um Kinder, die gesund sind und herumrennen und spielen und Spaß haben können. Du wärst ein wunderbarer Bademeister. Alle hier werden dich lieben. Du bist ein hervorragender Schwimmer, ein hervorragender Turmspringer, ein hervorragender Lehrer. Ach, Bucky, es ist eine einmalige Gelegenheit. Und wir könnten hier oben allein sein«, flüsterte sie.»Im See ist eine Insel. Wir könnten nachts, wenn alle schlafen, mit einem Kanu hinüberfahren. Wir müssten keine Angst haben, dass deine Großmutter oder meine Eltern oder Geschwister im Haus herumschleichen. Wir könnten endlich, endlich allein sein.«

Er würde sie ganz ausziehen können, dachte er, und sie vollkommen nackt sehen. Sie könnten allein auf einer dunklen Insel sein und nichts anhaben. Und weil niemand sonst da war, könnte er sie so ausgiebig und hungrig liebkosen, wie er wollte. Und er könnte frei sein von den Kopfermans. Er würde nichts mehr von Mrs. Kopferman hören, die ihm hysterisch vorwarf, ihre Kinder mit Polio angesteckt zu haben. Und er würde aufhören können, Gott zu hassen, und dieser Hass war etwas, das ihn zunehmend verwirrte und ihm ein sehr eigenartiges Gefühl bescherte. Auf dieser Insel würde er weit entfernt von all dem sein, was immer schwerer zu ertragen war.

»Aber ich kann meine Großmutter nicht verlassen«, sagte Mr. Cantor.»Wer soll ihr denn die Einkäufe die Treppe hinauf in die Wohnung tragen? Sie hat Schmerzen in der Brust. Ich muss hier sein. Ich muss die Wäsche waschen. Ich muss einkaufen. Ich muss mich um sie kümmern.«

»Die Einnemans von unten können sich für den Rest des Sommers um sie kümmern. Und sie würden auch ihre Einkäufe erledigen. Und ihr bisschen Wäsche waschen. Sie würden es gern tun. Sie hütet ja auch ihr Kind. Du weißt doch, wie sehr sie sie mögen.«

»Die Einnemans sind nett. Aber das ist nicht ihre Sache, sondern meine. Ich kann Newark nicht verlassen.«

»Was soll ich Mr. Blomback sagen?«

»Sag ihm, ich danke ihm, aber ich kann Newark nicht verlassen, nicht jetzt.«

»Ich werde ihm gar nichts sagen«, antwortete Marcia. »Ich werde warten. Du sollst noch einen Tag darüber nachdenken. Morgen Abend rufe ich noch einmal an. Denk darüber nach, Bucky – es wäre ganz sicher kein Davonlaufen vor deiner Pflicht. Es ist nicht feige, Newark in Zeiten wie diesen zu verlassen. Ich kenne dich, ich weiß, dass du das denkst. Aber du bist ohnehin schon so mutig, mein Schatz. Meine Knie werden ganz schwach, wenn ich daran denke, wie mutig du bist. Wenn du nach Indian Hill kommst, übernimmst du in Wirklichkeit nur eine andere Aufgabe und wirst sie genauso gewissenhaft erledigen. Und du erfüllst noch eine andere Pflicht gegenüber dir selbst: glücklich zu sein. Bucky, im Angesicht der Gefahr ist das nur klug – es ist gesunder Menschenverstand!«

»Nein, ich werde meine Meinung nicht ändern. Ich möchte bei dir sein, ich sehne mich jeden Tag nach dir, aber ich kann jetzt nicht gehen.«

»Aber du musst auch an dein eigenes Wohlergehen denken. Überschlaf es noch einmal, Schatz, bitte. Bitte.«

Seine Großmutter saß mit den Einnemans und den Fishers vor dem Haus. Die Fishers – er war Elektriker, sie Hausfrau – waren Ende Vierzig und hatten einen achtzehnjährigen Sohn, der beim Marinecorps war und in Kalifornien darauf wartete, über den Pazifik verschifft zu werden, und eine unverheiratete

Tochter, die in der Innenstadt als Verkäuferin für das Kaufhaus arbeitete, bei dem sein Vater das Geld unterschlagen hatte – eine unausweichliche Tatsache, die ihm jedesmal durch den Kopf schoss, wenn sie einander morgens auf dem Weg zur Arbeit begegneten. Die Einnemans waren ein junges Paar mit einem kleinen Kind und lebten direkt unter Mr. Cantor und seiner Großmutter. Das Baby war ebenfalls draußen und schlief in seinem Wagen; seit seiner Geburt hatte Mr. Cantors Großmutter den Einnemans geholfen, es zu versorgen.

Sie sprachen noch immer über Polio und erinnerten sich an andere schlimme Epidemien. Seine Großmutter erzählte, dass Leute, die Keuchhusten hatten, Armbinden hatten tragen müssen, und dass Diphtherie vor der Entdeckung des Antitoxins die gefürchtetste Krankheit gewesen war. Als Kind hatte sie eine der ersten Pockenimpfungen bekommen. Die Impfstelle hatte sich schlimm entzündet, und seither war auf ihrem rechten Oberarm eine große, unregelmäßig kreisförmige Narbe. Sie schob den kurzen Ärmel ihres Hauskleids hoch, damit alle es sehen konnten.

Nachdem er eine Weile zugehört hatte, stand Mr. Cantor auf und sagte, er wolle einen Spaziergang machen und ein Eis essen. Er ging zum Drugstore an der Avon Avenue, kaufte sich an der Theke eine Waffel mit zwei Kugeln Eis und setzte sich unter einen der großen Deckenventilatoren, um es zu essen. Und um nachzudenken. Wenn eine Anforderung an ihn gestellt wurde, musste er sie erfüllen. Die Anforderung bestand jetzt darin, sich um die gefährdeten Jungen auf dem Sportplatz zu kümmern. Und er musste sie erfüllen, nicht nur wegen der Jungen oder weil er einen Vertrag hatte, sondern aus Achtung vor dem Andenken an jenen beharrlichen Lebensmittelhändler mit seiner schroffen Heftigkeit, der trotz all seiner Beschränkungen *alle* Anforderungen erfüllt hatte: seinen Großvater. Marcia lag ganz falsch: Wenn er von hier fortging und zu ihr in die Poconos fuhr, würde er auf eine Weise vor seiner Pflicht davonlaufen, wie sie schändlicher kaum vorstellbar war.

In der Ferne jaulte die Sirene eines Krankenwagens. Man hörte sie hin und wieder, inzwischen zu jeder Tages- und Nachtzeit. Es waren nicht die Luftschutzsirenen – die ertönten nur einmal pro Woche, am Samstag um zwölf Uhr, und sie verbreiteten nicht Angst, sondern das beruhigende Gefühl, dass die Stadt für alles gerüstet war. Nein, es waren die Wagen, die Polio-Opfer abholten und in die Krankenhäuser brachten, und die Sirenen schrien: »Aus dem Weg – ein Leben ist in Gefahr!« In einigen Kliniken gab es keine eisernen Lungen mehr, und Patienten, die eine benötigten, mussten nach Belleville, Kearny oder Elizabeth gebracht werden, bis neue Apparate nach Newark geliefert wurden. Er hoffte, der Krankenwagen würde nicht nach Weequahic fahren, um einen weiteren seiner Jungen zu holen.

Wenn die Epidemie noch schlimmer würde, hatte er gerüchteweise gehört, würde die Stadt die über dreißig Sportplätze schließen müssen, damit die Kinder keinen zu engen Kontakt miteinander hatten. Normalerweise sei für eine solche Maßnahme das Gesundheitsamt zuständig, doch der Bürgermeister wolle die sommerlichen Aktivitäten der Kinder nicht unnötig beschränken und habe sich vorbehalten, diese Entscheidung selbst zu treffen. Er tat alles, was in seiner Macht stand, um die Eltern zu beruhigen. Er war in jedem Schulsprengel der Stadt erschienen, um die besorgten Bürger über

Maßnahmen zu informieren, die die Stadt ergriffen hatte, um Schmutz und Abfall regelmäßig von privaten und öffentlichen Grundstücken zu entfernen. Er ermahnte sie, ihre Mülltonnen fest zu verschließen, und forderte sie auf, sich an der Anti-Fliegen-Kampagne zu beteiligen, indem sie für intakte Fliegengitter an den Fenstern sorgten und alle Fliegen vernichteten, die sich schließlich in Schmutz und Unrat vermehrten und durch offene Türen und ungeschützte Fenster in die Häuser eindrangen. Der Abfall werde von nun an jeden zweiten Tag abgeholt, und um der Anti-Fliegen-Kampagne mehr Durchschlagskraft zu verleihen, würden Gesundheitsinspektoren die Wohnviertel besuchen, um Fliegenklatschen zu verteilen und sich zu vergewissern, dass die Straßen frei von Unrat seien. Um zu unterstreichen, man habe alles im Griff und es bestehe kein Grund zur Unruhe, hatte der Bürgermeister den Eltern versichert: »Die Sportplätze bleiben geöffnet. Unsere Kinder brauchen im Sommer ihre Sportplätze. Sowohl die Prudential Life Insurance Company in Newark als auch die Metropolitan Life in New York haben uns versichert, dass Sonne und frische Luft die besten Waffen gegen diese Krankheit sind. Geben Sie Ihren Kindern beides, indem Sie sie auf den Sportplätzen spielen lassen – kein Keim wird dem widerstehen können. Vor allem aber halten Sie Ihre Höfe und Keller sauber und verlieren Sie nicht den Kopf – die Erkrankungen werden bald zurückgehen. Und vernichten Sie die Fliegen. Man kann gar nicht genug betonen, wie schädlich sie sind.«

In der drückenden Hitze ging Mr. Cantor die Avon Avenue entlang. Und im drückenden Gestank. Wenn der Wind aus Süden wehte, von Rahway und Linden, wo die Raffinerien waren, lag ein beißender Geruch nach Verbranntem in der Luft, doch an diesem Abend wehte er aus Norden und brachte den fauligen Gestank mit, der von den Schweinefarmen in Secaucus ausging, das nur ein paar Kilometer flussaufwärts am Hackensack lag. Mr. Cantor kannte keinen widerwärtigeren. Während einer Hitzewelle, wenn es in Newark gar keine frische, reine Luft mehr zu geben schien, konnte der Gestank manchmal so durchdringend und abstoßend sein, dass es einen würgte und man in einen geschlossenen Raum floh. Es gab Leute, die den Ausbruch der Polioepidemie auf die unmittelbare Nachbarschaft von Secaucus – das man verächtlich »die Schweinemetropole von Hudson County« nannte – und auf die krankheitserregenden Eigenschaften jenes sich über alles legenden Miasmas zurückführten, das für diejenigen, die im Windschatten dieser Farm lebten, ein Pesthauch aus Gott weiß wie vielen ekelhaften, abscheulichen Bestandteilen war. Wenn es stimmte, was sie sagten, dann war Atmen in Newark eine gefährliche Tätigkeit: Wer zu tief Luft holte, konnte sterben.

Und doch: Obwohl so vieles an dieser Nacht wenig einladend war, sah er ein paar Jungen auf Fahrrädern, die in voller Fahrt auf dem holprigen Kopfsteinpflaster zwischen den Straßenbahnschienen den Hügel hinunterrasten und dabei lauthals »Geronimo« schrien, er sah Jungen, die vor Bonbonläden herumalberten und einander spielerisch anrempelten, er sah Jungen, die in kleinen Gruppen ruhig auf Eingangsstufen saßen, rauchten und sich unterhielten, er sah Jungen, die auf der Straße unter den Laternen mit trägen Bewegungen Ball spielten; an einem unbebauten Eckgrundstück hatte man an der Seitenwand eines verlassenen Hauses einen Ring montiert, und einige Jungen übten im Licht des Schnapsladens gegenüber, wo Säufer taumelnd ein und aus gingen, angetäuschte

Bogenwürfe. An einer Ecke standen ein paar Jungen um einen Briefkasten herum, auf dem ein weiterer Junge saß und zu ihrer Unterhaltung jodelte. Auf Feuertreppen saßen ganze Familien vor Radios mit Verlängerungskabeln, die in Steckdosen in den Wohnungen steckten, und auch im Dämmerlicht der Gassen zwischen den Häusern hatte man Stühle und leichte Sessel aufgestellt. Als er auf seinem Spaziergang an ihnen vorbeiging, sah er Frauen, die sich mit von einer Reinigung in der Nachbarschaft gratis verteilten Papierfächern Luft zufächelten, und Fabrikarbeiter in ärmellosen Unterhemden, und das Wort, das in den Gesprächsfetzen, die an sein Ohr drangen, immer wieder vorkam, war natürlich »Polio«. Nur die Kinder schienen imstande zu sein, an etwas anderes zu denken. Nur die Kinder (ausgerechnet die Kinder!) benahmen sich, als wäre der Sommer noch immer – zumindest außerhalb von Weequahic – eine Zeit der Sorglosigkeit und der Abenteuer.

Weder auf den Straßen noch an der Eistheke des Drugstores traf er einen der Jungen, mit denen er Baseball gespielt hatte, mit denen er aufgewachsen und zur Schule gegangen war. Alle, die nicht untauglich waren wie er – junge Männer, die Herzfehler oder Plattfüße oder so schlechte Augen hatten wie er und in Rüstungsfabriken arbeiteten –, waren längst zur Armee eingezogen worden.

An der Belmont Street überquerte Mr. Cantor die Hawthorne Avenue, wo in einigen Bonbonläden Licht brannte und er die Stimmen von Jungen hörte, die noch draußen waren und sich etwas zuriefen. Dann bog er in die Bergen Street ein und kam in den wohlhabenderen Teil von Weequahic, wo der Hügel zum Weequahic Park abfiel. Schließlich war er in der Goldsmith Avenue, und erst als er beinahe am Haus der Steinbergs angekommen war, wurde ihm bewusst, dass er an diesem warmen Abend nicht bloß irgendeinen Spaziergang machte, sondern sein Ziel mit Bedacht gewählt hatte. Vielleicht hatte er einfach das große Backsteinhaus zwischen den anderen großen Backsteinhäusern sehen und an Marcia denken und dann wieder zur Barclay Street zurückkehren wollen, doch als er einmal um den Block gegangen war, stand er wieder vor dem Haus, ging entschlossen die wenigen Schritte über den mit Steinplatten belegten Weg zur Haustür und läutete. Auf der mit Fliegengitter versehenen Vorderveranda hatten Marcia und er, vom Kino zurück, auf der Schaukel gesessen und geschmust, bis ihre Mutter sich von oben freundlich erkundigt hatte, ob Bucky nicht langsam nach Hause müsse.

Dr. Steinberg öffnete die Tür. Mit einemmal wusste Mr. Cantor, warum er den weiten Weg von der Barclay Street auf sich genommen hatte und durch die stinkende Luft hierher gegangen war.

»Bucky, mein Junge!«, begrüßte er ihn und breitete lächelnd die Arme aus. »Was für eine nette Überraschung! Komm rein, komm rein.«

»Ich wollte nur ein Eis essen, und dann hab ich einen Spaziergang hierher gemacht«, erklärte Mr. Cantor.

»Dir fehlt dein Mädchen«, sagte Dr. Steinberg lachend.

»Mir auch. Mir fehlen meine drei Mädchen.«

Sie gingen zur ebenfalls mit Fliegengitter eingezäunten hinteren Veranda, die auf den Garten der Steinbergs ging. Seine Frau, sagte Dr. Steinberg, sei für eine Woche in ihr Sommerhaus am Meer gefahren, wo er sich am Wochenende zu ihr gesellen werde. Ob Bucky vielleicht ein Glas Limonade wolle? Es sei welche im Eisschrank, er werde ihm ein Glas bringen.

Das Haus der Steinbergs war so, wie Mr. Cantor es sich erträumt hatte, als er mit seinen Großeltern in der kleinen Dreizimmerwohnung im dritten Stock in der Barclay Street gelebt hatte: ein großes Einfamilienhaus mit geräumigen Korridoren und einer zentralen Treppe, mit vielen Schlafzimmern und mehreren Toiletten, mit zwei Veranden und schönem Teppichboden in allen Räumen, und anstelle der Verdunkelungsrollos von Woolworth waren die Fenster mit Jalousien verschlossen. Und hinter dem Haus war ein Garten. Er hatte noch nie zuvor einen blühenden Garten gesehen, außer den berühmten Rosengarten im Weequahic Park, in dem er als Kind mit seiner Großmutter gewesen war. Es war ein öffentlicher Park, der vom Gartenamt gepflegt wurde; soweit er wusste, waren alle Parks öffentlich. Er staunte, dass es in Newark Häuser mit einem privaten Blumengarten gab. Der Beton im Hof des Hauses, in dem er wohnte, war von Rissen durchzogen, und hier und da gab es regelrechte Löcher, wo die Kinder aus der Nachbarschaft im Lauf der Jahrzehnte kleine Brocken herausgelöst hatten, um sie bösartig nach Katzen, übermütig nach vorbeifahrenden Wagen und wütend auf einander zu werfen. Die Mädchen spielten dort Himmel und Hölle, bis die Jungen sie vertrieben, um Karten zu spielen; die verbeulten Mülltonnen der Mieter standen unordentlich aufgereiht da, und darüber war ein durchhängendes Gespinst von Wäscheleinen, die zwischen Rollen an den hinteren Fenstern der Wohnungen und einem Telefonmast am anderen Ende des vernachlässigten Hofs gespannt waren. Als Kind hatte er dabeigestanden, wenn seine Großmutter Wäsche aufhängte, und ihr die Wäscheklammern gereicht. Manchmal war er schreiend aus einem Albtraum erwacht, in dem sie sich so weit aus dem Fenster ge beugt hatte, um ein Bettuch aufzuhängen, dass sie hinausgefallen war. Bevor seine Großeltern sich entschlossen hatten, ihm zu sagen, dass seine Mutter bei seiner Geburt gestorben war, hatte er sich vorgestellt, sie sei bei einem solchen Sturz ums Leben gekommen. Bis er alt genug war, die Wahrheit zu verstehen und zu verarbeiten, war ein Hof für ihn ein Ort des Todes, ein kleiner, rechteckiger Friedhof für die Frauen, die ihn liebten.

Doch jetzt erfüllte ihn schon der Gedanke an Mrs. Steinbergs Garten mit Freude – er dachte dann an all das, was er an den Steinbergs so sehr liebte, an ihren Lebensstil, an das, was er insgeheim immer ersehnt hatte, seine guten Großeltern ihm aber nicht hatten bieten können. Extravaganzen waren ihm so fremd, dass er ein Haus mit mehr als einer Toilette als Gipfel des Luxus betrachtete. Er hatte stets einen starken Familiensinn besessen, ohne selbst eine Familie im traditionellen Sinn zu haben, und manchmal, wenn er mit Marcia allein in dem Haus gewesen war – was wegen ihrer kleineren Schwestern äußerst selten vorkam –, hatte er sich vorgestellt, sie seien verheiratet, und dieses Haus, dieser Garten, diese häusliche Ordnung und die zahlreichen Toiletten gehörten ihnen. Wie wohl er sich in diesem Haus fühlte! Und doch erschien es ihm wie ein Wunder, dass er dort eingeführt war.

Dr. Steinberg kehrte mit den Gläsern voll Limonade auf die Veranda zurück. Nur über dem Sessel, wo er die Abendzeitung gelesen und seine Pfeife geraucht hatte, leuchtete eine Lampe. Nun nahm er die Pfeife wieder auf, entzündete sie aufs Neue und zog und paffte, bis sie zufriedenstellend brannte. Das kräftige Aroma des Pfeifenrauchs dämpfte den Gestank aus Secaucus ein wenig.

Dr. Steinberg war ein schlanker, beweglicher, eher kleiner Mann mit einem großen Schnurrbart und einer Brille, die dick, wenn auch nicht ganz so dick war wie die von Mr. Cantor. Seine Nase war groß und eigenartig: oben gekrümmt wie ein Säbel, an der Spitze aber flach, und der Knochen war genau so geformt wie ein geschliffener Diamant – kurz gesagt, es war eine Nase wie aus einem Märchen, die Art von großer, gebogener, fein geformter Nase, wie sie die Juden, obwohl sie allenthalben den größten Nöten ausgesetzt gewesen waren, nie aufgehört hatten hervorzubringen. Am meisten stach sie ins Auge, wenn er lachte, was er gern und häufig tat. Er war immer freundlich, einer dieser Hausärzte, die nur mit einer Krankenakte in der Hand ins Wartezimmer zu treten brauchen, und schon hellen sich die Mienen der Patienten auf. Wenn er mit dem Stethoskop kam, schätzte man sich glücklich, sich in seiner Obhut zu befinden. Marcia gefiel es, dass ihr Vater, ein Mann von natürlicher, schmuckloser Autorität, seine Patienten scherzhaft, aber wahrheitsgemäß als seine »Meister« bezeichnete.

»Marcia hat mir erzählt, dass du ein paar deiner Jungen verloren hast. Es tut mir schrecklich leid, das zu hören, Bucky. Eigentlich ist Polio gar nicht so tödlich.«

»Bis jetzt haben vier Polio bekommen, und zwei sind gestorben. Zwei Jungen. Grundschüler. Zwölf Jahre alt.«

»Du hast eine große Verantwortung für all diese Jungen«, sagte Dr. Steinberg, »besonders in Zeiten wie diesen. Ich bin jetzt seit über fünfundzwanzig Jahren Arzt, aber jedesmal, wenn ich einen Patienten verliere, und sei es durch Altersschwäche, bin ich erschüttert. Diese Epidemie muss eine schwere Last auf deinen Schultern sein.«

»Das Problem ist: Ich weiß nicht, ob ich das Richtige tue, wenn ich ihnen verbiete, Ball zu spielen.«

»Hat denn jemand behauptet, du tätest das Falsche?«

»Ja, die Mutter von zwei der Jungen, die gerade erkrankt sind. Ich weiß, dass sie hysterisch war und einfach um sich geschlagen hat, aber das hilft mir nicht weiter.«

»Das kann einem Arzt auch passieren. Wie du sagst, werden Menschen, die Schmerzen erleiden müssen, oft hysterisch, und wenn sie mit der unvermeidlichen Ungerechtigkeit der Welt konfrontiert werden, schlagen sie einfach blindlings zu. Die Jungen bekommen nicht dadurch Polio, dass sie Ball spielen. Sie bekommen Polio durch ein Virus. Wir wissen vielleicht nicht viel über diese Krankheit, aber das immerhin wissen wir. Überall spielen Kinder den ganzen Sommer über draußen, und selbst bei einer Epidemie wie dieser wird nur ein sehr kleiner Prozentsatz krank. Und von denen wiederum erkrankt nur ein sehr kleiner Prozentsatz ernstlich. Und von diesen sterben nur sehr wenige – sie sterben an Lähmungen der Atemmuskulatur, und die sind relativ selten. Nicht jedes Kind, das Kopfschmerzen hat, ist ein Fall paralytischer Polio. Darum ist es so wichtig, die Gefahr nicht zu übertreiben und normal weiterzuleben. Es gibt nichts, weswegen du dich schuldig fühlen müsstest. Das ist manchmal eine natürliche Reaktion, aber in deinem Fall ist sie ungerechtfertigt.« Er wies bedeutungsvoll mit dem Pfeifenstiel auf den jungen Mann und sagte warnend: »Wir können sehr strenge Richter über uns selbst sein, auch wenn es in keinster Weise angebracht ist. Ein übertriebenes Pflichtbewusstsein kann einen Menschen stark schwächen.«

»Glauben Sie, es wird noch schlimmer werden, Dr. Steinberg?«

»Epidemien besitzen die Eigenart, mit einemmal an Schwung zu verlieren. Diese hier ist in vollem Gang. Wir müssen dem, was passiert, begegnen und abwarten, ob die Welle abebbt oder nicht. Normalerweise sind die Mehrheit der Fälle Kinder unter fünf Jahren. So war es auch 1916. Das Muster des gegenwärtigen Ausbruchs ist, jedenfalls hier in Newark, etwas anders. Aber das soll nicht heißen, dass diese Krankheit sich immer weiter ausbreiten wird. Soweit ich es beurteilen kann, gibt es noch immer keinen Grund zur Unruhe.«

So erleichtert wie jetzt, da Dr. Steinberg ihm Rat erteilte, hatte Mr. Cantor sich seit Wochen nicht gefühlt. Nirgendwo in Newark, nicht einmal in der Wohnung seiner Großmutter, nicht einmal in der Turnhalle der Chancellor Avenue School, wo er seinen Sportunterricht abhielt, fühlte er sich so von Zufriedenheit erfüllt wie auf der mit Fliegengitter eingefassten hinteren Veranda der Steinbergs, wenn Dr. Steinberg in seinem gepolsterten Korbsessel saß und an seiner gut eingerauchten Pfeife zog.

»Warum ist die Epidemie in Weequahic am schlimmsten?«, fragte Mr. Cantor. »Wie kann das sein?«

»Das weiß ich nicht«, sagte Dr. Steinberg. »Das weiß niemand. Polio ist noch immer eine geheimnisvolle Krankheit. Diesmal ist sie langsam gekommen. Anfangs war sie hauptsächlich in Ironbound, dann ist sie wahllos in der Stadt umhergewandert, und plötzlich hat sie sich in Weequahic niedergelassen und zugelegt.«

Mr. Cantor erzählte ihm von dem Vorfall mit den Italienern von der East Side Highschool, die von Ironbound zum Sportplatz gefahren waren und auf den Bürgersteig davor gespuckt hatten.

»Du hast das Richtige getan«, sagte Dr. Steinberg. »Du hast es mit Ammoniak und heißem Wasser weggewaschen. Das war sehr umsichtig.«

»Aber habe ich die Polioerreger, die es da vielleicht gab, abgetötet?«

»Wir wissen nicht, was diese Erreger abtötet«, sagte Dr. Steinberg. »Wir wissen nicht, wer oder was die Polio überträgt, und auch wie sie überhaupt in den Körper eindringt, ist noch immer recht umstritten. Du hast diese Schweinerei beseitigt und die Jungen beruhigt, indem du die Sache in die Hand genommen hast – das ist wichtig. Du hast kompetent und gelassen reagiert, und das ist es, was diese Jungen sehen müssen. Bucky, du bist erschüttert durch das, was geschehen ist. Das ist in Ordnung – auch starke Männer lassen sich erschüttern. Du sollst wissen, dass auch viele von uns älteren, erfahreneren Männern davon erschüttert sind. Als Arzt dazustehen und nicht imstande zu sein, die Ausbreitung dieser schrecklichen Krankheit zu verhindern, ist sehr belastend. Eine Krankheit, die zur Lähmung führt, die hauptsächlich Kinder befällt und manche sogar tötet – das ist für alle schwierig. Du hast ein Gewissen, und ein Gewissen ist etwas Wunderbares – allerdings nur, solange es nicht anfängt, dich für etwas verantwortlich zu machen, das außerhalb deines Verantwortungsbereiches liegt.«

Er wollte fragen: Hat Gott kein Gewissen? Wo ist Seine Verantwortung? Oder kennt Er keine Grenzen? Statt dessen sagte er: »Finden Sie, dass die Sportplätze geschlossen werden sollten?«

»Du hast die Aufsicht«, sagte Dr. Steinberg. »Findest du, sie sollten geschlossen werden?«

»Ich weiß nicht, was richtig ist«, sagte Mr. Cantor.

»Was würden die Jungen tun, wenn sie nicht mehr auf den Sportplatz gehen könnten? Zu Hause bleiben? Nein, sie würden auf der Straße Ball spielen, auf irgendwelchen unbebauten Grundstücken, im Park. Man kann sie nicht davon abhalten, sich zu treffen, wenn man die Sportplätze zusperrt. Sie werden nicht zu Hause bleiben – sie werden vor den Bonbonläden herumhängen, an Flipperautomaten stehen, sich herumschubsen und zum Spaß miteinander raufen. Sie werden aus den Sodaflaschen der anderen trinken, ganz gleich, wie oft man ihnen gesagt hat, sie sollen das nicht tun. Manche von ihnen werden so zappelig und gelangweilt sein, dass sie irgendwelchen Unsinn machen und in Schwierigkeiten geraten. Es sind keine Engel – es sind Jungen. Bucky, nichts von dem, was du tust, macht die Dinge schlimmer. Im Gegenteil: Was du tust, macht sie besser. Du tust etwas Nützliches. Du trägst zum Wohl der Gemeinschaft bei. Es ist wichtig, dass das Leben im Viertel weitergeht, sonst sind nicht nur die Kranken und ihre Familien die Opfer, sondern ganz Weequahic. Auf dem Sportplatz kannst du helfen, die Panik auf Abstand zu halten, indem du die Aufsicht über die Jungen übernimmst, wenn sie ihre Lieblingsspiele spielen. Die Alternative wäre, sie irgendwo anders hinzuschicken, wo sie nicht unter deiner Aufsicht wären. Die Alternative wäre, sie zu Hause einzusperren und ihnen Angst zu machen. Ich bin dagegen, jüdischen Kindern Angst zu machen. Ich bin dagegen, Juden Angst zu machen. Das hat es in Europa gegeben, und darum sind die Juden von dort geflohen. Aber hier sind wir in Amerika. Je weniger Angst, desto besser. Angst entmannt uns. Angst entwürdigt uns. Dafür zu sorgen, dass es weniger Angst gibt – das ist deine und meine Aufgabe.«

Es waren jetzt mehr Sirenen zu hören, im Westen, wo das Krankenhaus war. Hier, wo sie saßen, waren nur Grillen und Glühwürmchen und viele verschiedene duftende Blumen jenseits des Fliegengitters, die, da Mrs. Steinberg am Meer war, höchstwahrscheinlich nach dem Abendessen von Dr. Steinberg gegossen worden waren. Eine mit Obst gefüllte Schale stand auf der Glasplatte des Korbtischs vor dem Korbsofa, auf dem Mr. Cantor saß. Dr. Steinberg nahm sich ein Stück und lud seinen Gast ein, sich ebenfalls zu bedienen.

Mr. Cantor wählte einen makellosen Pfirsich, so groß wie das Prachtexemplar, das Dr. Steinberg genommen hatte, und in Gesellschaft dieses durch und durch vernünftigen, beruhigenden Mannes und in dem herrlichen Gefühl der Sicherheit, das er verströmte, aß er den Pfirsich und genoss jeden köstlichen Bissen. Dann beugte er sich vor, gänzlich unvorbereitet, aber nicht imstande, sich zurückzuhalten, legte den Kern in den Aschenbecher, presste die klebrigen Handflächen zwischen den Knien zusammen und sagte: »Ich möchte Sie und Ihre Frau um Erlaubnis bitten, Marcia fragen zu dürfen, ob sie meine Verlobte sein will.«

Dr. Steinberg lachte laut, hob die Pfeife hoch, als wäre sie eine Trophäe, sprang auf und machte ein paar Tanzschritte. »Die hast du!«, rief er. »Ich könnte nicht erfreuter sein. Und Mrs. Steinberg wird sich genauso freuen. Ich werde sie gleich anrufen. Und dann sprichst du mit ihr und sagst es ihr selbst. Ach, was für eine Freude! Wie wunderbar, Bucky! Natürlich hast du unsere Erlaubnis! Marcia hätte sich keinen besseren Mann aussuchen können. Was für eine glückliche Familie wir sind!«

Mr. Cantor war verblüfft, dass Dr. Steinberg *seine* Familie als glücklich bezeichnete. Er spürte, dass er vor Aufregung errötete, sprang auf und schüttelte Dr. Steinberg die Hand. Bis zu diesem Abend hatte er vorgehabt, nicht vor dem Jahreswechsel, wenn seine Position finanziell etwas gesicherter war, von Verlobung zu sprechen. Er sparte noch immer auf einen Gasherd, der den Kohleherd ersetzen sollte, auf dem seine Großmutter kochte, und hatte ausgerechnet, dass er bis zum Dezember genug Geld zusammenhaben würde, sofern er nicht einen Verlobungsring kaufen müsste. Was ihn bewogen hatte, diesen Schritt jetzt zu tun, war der Trost, den er von ihrem gütigen Vater erfahren hatte – das und der gemeinsame Genuss dieser vollkommenen Pfirsiche auf der hinteren Veranda. Was ihn dazu bewogen hatte, war die Gewissheit, dass Dr. Steinberg offenbar imstande war, durch seine bloße Gegenwart die Frage zu beantworten, die niemand sonst beantworten konnte: Was zum Teufel ist eigentlich los und wie kommen wir da wieder heraus? Und noch etwas hatte ihn bewogen, Marcias Vater um die Erlaubnis zu bitten, sich mit ihr verloben zu dürfen: das Geheul der Krankenwagensirenen, die an diesem Abend kreuz und quer durch Newark fuhren.

Der nächste Morgen war der bislang schlimmste. Drei weitere Jungen waren an Kinderlähmung erkrankt: Leo Feinswog, Paul Lippman und ich, Arnie Mesnikoff. Auf dem Sportplatz war die Zahl der Fälle über Nacht von vier auf sieben gestiegen. Unter den Krankenwagen, deren Sirenen Mr. Cantor und Dr. Steinberg am vorangegangenen Abend auf der hinteren Veranda gehört hatten, mussten welche gewesen sein, die einige seiner Jungen in eine Klinik gebracht hatten. Von diesen drei neuen Fällen erfuhr er am Morgen, als die anderen Jungen mit ihren Handschuhen erschienen, um Baseball zu spielen. An einem normalen Wochentag hätte er zwei Spiele veranstaltet, eines auf jedem der beiden Felder an den gegenüberliegenden Enden des Sportplatzes, aber an diesem Morgen waren nicht genug Spieler für vier Mannschaften da. Abgesehen von den kranken Jungen fehlten etwa sechzig, die offenbar von ihren Eltern zu Hause behalten worden waren. Diejenigen, die erschienen waren, versammelte er auf dem Teil der Tribüne, der vor der Rückseite der Schule stand.

»Jungs, ich bin froh, dass ihr gekommen seid. Heute wird es wieder heiß werden. Das heißt aber nicht, dass wir nicht Baseball spielen werden. Es heißt nur, dass wir einige Vorkehrungen treffen werden, um es nicht zu übertreiben. Immer nach zweieinhalb Innings werden wir fünfzehn Minuten Pause machen, und zwar im Schatten, hier auf der Tribüne. In dieser Zeit wird nicht herumgerannt. Das gilt für alle. Keine Ausnahmen. Zwischen zwölf und zwei, wenn es am heißesten ist, wird das Spiel unterbrochen. Dann bleibt das Spielfeld leer. Ihr könnt Schach, Dame oder Tischtennis spielen oder ihr könnt euch einfach irgendwo in den Schatten setzen und euch unterhalten, und wenn ihr morgen kommt, könnt ihr ein Buch oder eine Zeitschrift mitbringen und in der Mittagszeit lesen … das ist in Ordnung. Gut, das ist also unser neues Tagesprogramm. Wir werden den Sommer genießen, wie wir nur können, aber solange es so heiß ist, werden wir uns etwas zurückhalten. Und niemand wird einen Hitzschlag kriegen bei diesen mörderischen Temperaturen.« Im letzten Augenblick ersetzte er das Wort »Polio« durch »Hitzschlag«.

Niemand erhob Einwände. Niemand machte eine Bemerkung. Sie hörten ihm ernst zu, und einige nickten zustimmend. Zum ersten Mal seit dem Ausbruch der Epidemie konnte er ihre Angst spüren. Jeder von ihnen kannte mindestens einen der Jungen, die am Vorabend ins Krankenhaus gebracht worden waren, recht gut, und sie bekamen auf eine Weise, die sie nicht für möglich gehalten hätten, vor Augen geführt, in welcher Gefahr sie waren.

Mr. Cantor stellte zwei Mannschaften zu je zehn Spielern zusammen. Zehn Jungen blieben übrig, und er bestimmte, dass sie, fünf für jede Mannschaft, nach der ersten fünfzehnminütigen Pause eingewechselt werden würden. Bei dieser Aufteilung würde es für den Rest des Tages bleiben.

»Einverstanden?«, fragte er und klatschte aufmunternd in die Hände. »Es ist ein Sommertag wie jeder andere, und jetzt geht hin und spielt.«

Er selbst machte nicht mit, sondern setzte sich zu den Auswechselspielern auf die Tribüne, die ungewöhnlich still wirkten. Jenseits des Spielfelds, an der kleinen Straße, wo die Mädchen immer seilsprangen, waren heute statt der ungefähr zwölf, die sich dort seit Beginn des Sommers am Morgen eines jeden Wochentages trafen, nur drei – drei Mädchen, denen ihre Eltern offenbar erlaubten, das Haus zu verlassen und mit den anderen Kindern auf dem Sportplatz zusammen zu sein. Die fehlenden waren vielleicht unter denen, die, wie er gehört hatte, zu Verwandten geschickt worden waren, die weit genug von der Stadt entfernt lebten, und einige von ihnen hatte man vielleicht vor der Bedrohung in die saubere, immunisierende Seeluft an der Küste von New Jersey gebracht.

Zwei der Mädchen schwangen das Seil, während das dritte sprang – ohne dass ein weiteres auf ungeduldigen dünnen Beinen daneben stand und darauf wartete, an die Reihe zu kommen. Ihre hohe, quäkende Stimme war bis zur Tribüne zu hö-

ren, wo die Jungen, die sonst von morgens bis abends plapper-
ten, flachsten und Witze rissen, mit einemmal nichts zu sagen
hatten.

K, ich heiße Karla,
Und mein Mann, der heißt Kenneth,
Wir kommen aus Kentucky
Und bringen Kartoffeln mit.

Mr. Cantor brach schließlich das lange Schweigen. »Habt ihr
Freunde, die krank geworden sind?«, fragte er sie.

Alle nickten oder sagten leise: »Ja.«

»Das ist schwer für euch, ich weiß. Sehr schwer. Wir können nur hoffen, dass es ihnen bald besser geht und sie bald
wieder hier spielen können.«

»Es kann sein, dass man für den Rest seines Lebens in einer
eisernen Lunge liegen muss«, sagte Bobby Finkelstein, der
sonst eher still war. Er war einer der Jungen, die Mr. Cantor
nach dem Trauergottesdienst im Anzug auf den Stufen der Synagoge gesehen hatte.

»Ja, das kann sein«, sagte Mr. Cantor. »Aber das passiert
nur bei einer Lähmung der Atemmuskulatur, und die ist sehr
selten. Es ist viel wahrscheinlicher, dass man wieder gesund
wird. Es ist eine schwere Krankheit, aber man kann sie auch
überstehen. Manchmal bleiben einige Lähmungen zurück, oft
aber auch gar keine. Die meisten Fälle sind relativ leicht.« Er
sprach mit Autorität, und die Quelle seines Wissens war natürlich Dr. Steinberg.

»Man kann daran sterben«, sagte Bobby und blieb beim
Thema, wie er es bisher selten getan hatte. Meist schien er lieber zuzuhören, wenn andere redeten, aber nach dem, was mit

seinen Freunden geschehen war, konnte er nicht mehr an sich halten. »Alan und Herbie sind gestorben.«

»Ja, man kann daran sterben«, gab Mr. Cantor zu. »Aber die Gefahr ist klein.«

»Für Alan und Herbie war sie nicht klein«, erwiderte Bobby.

»Ich habe gemeint, klein im Vergleich zur Einwohnerzahl einer Stadt.«

»Das hilft Alan und Herbie auch nicht«, sagte Bobby.

»Stimmt, Robert. Das hilft ihnen nicht. Es ist schrecklich, was mit ihnen geschehen ist. Und auch das, was mit den anderen geschehen ist.«

Unvermittelt meldete sich ein zweiter Junge zu Wort, Kenny Blumenfeld, doch das, was er sagte, war unverständlich, weil er mit den Tränen kämpfte. Er war groß und stark, ein intelligenter, verständiger Junge, der mit vierzehn bereits in die zweite Klasse der Highschool ging und, im Gegensatz zu den meisten anderen, reif genug war, um in Fragen des Gewinnens oder Verlierens Gefühle außer acht zu lassen. Er war, zusammen mit Alan, einer der Anführer auf dem Sportplatz gewesen, ein Junge, der immer zum Mannschaftskapitän gewählt wurde. Er war der mit den längsten Armen und Beinen, er schlug die weitesten Bälle, er war gefühlsmäßig wie körperlich robust, und doch war er es, der älteste, größte und reifste Junge, der mit den Fäusten auf seine Oberschenkel schlug, während ihm Tränen über das Gesicht rannen.

Mr. Cantor stand auf und setzte sich neben ihn.

Mit tränenerstickter Stimme sagte Kenny: »Alle meine Freunde kriegen Polio. Alle meine Freunde werden Krüppel sein. Oder tot.«

Mr. Cantor legte Kenny die Hand auf die Schulter und sagte nichts. Er sah auf das Feld mit den beiden Mannschaften, die sich so auf das Spiel konzentrierten, dass sie gar nicht merkten, was jenseits der Seitenlinien geschah. Er dachte an Dr. Steinberg und dessen Ermahnung, die Gefahr nicht zu übertreiben, und doch dachte er: »Kenny hat recht. Sie werden alle Krüppel sein. Jeder einzelne von ihnen. Die auf dem Spielfeld und die auf der Tribüne. Die Mädchen, die seilspringen. Sie sind bloß Kinder, und die Kinderlähmung wird hier hindurchfegen und sie alle vernichten. Jeden Tag, wenn ich komme, werden es weniger sein. Es ist nicht aufzuhalten, es sei denn, sie schließen die Sportplätze. Und nicht mal das wird helfen – letzten Endes wird die Krankheit jedes einzelne Kind erwischen. Dieses Viertel ist verdammt. Kein einziges Kind wird diese Epidemie unversehrt überleben – sofern es überhaupt überlebt.«

Und dann dachte er aus irgendeinem Grund an den Pfirsich, den er auf der Veranda der Steinbergs gegessen hatte, er konnte ihn geradezu in der Hand spüren, und zum ersten Mal hatte er Angst um sich selbst. Das Erstaunliche war, dass er die Angst so lange auf Abstand hatte halten können.

Er sah Kenny Blumenfeld weinen und wollte plötzlich vor dem Leben inmitten all dieser Kinder davonlaufen, vor dem unablässigen Wissen um die drohende Gefahr. Er wollte fliehen, wie Marcia es ihm gesagt hatte.

Statt dessen blieb er still neben Kenny sitzen, bis dieser aufgehört hatte zu weinen. Dann sagte er zu ihm: »Ich bin gleich wieder da – ich will ein bisschen spielen.« Er ging aufs Spielfeld und sagte zu Barry Mittelman, der am dritten Base stand: »Komm, setz dich mal für eine Weile in den Schatten und trink etwas«, übernahm für den Rest des Innings seinen Platz, zog

Barrys Handschuh an, und schlug immer wieder mit der Faust in die Höhlung.

Bis zum Abend spielte Mr. Cantor auf jeder Position und gab den Jungen beider Mannschaften Gelegenheit, sich im Schatten auszuruhen, damit sie sich nicht überanstrengten. Er wusste nicht, was er sonst hätte tun können, um die weitere Ausbreitung der Kinderlähmung zu verhindern. Im Outfield musste er den Handschuh an den Schirm der Baseballmütze heben, um nicht von der Sonne geblendet zu werden, die um vier Uhr nachmittags nicht weniger unbarmherzig herabbrannte als um zwölf. Zu seiner Überraschung hörte er hinter sich auf der kleinen Straße die drei Mädchen, die noch immer fieberhaft seilsprangen und im Rhythmus eines schlagenden Herzens ihre Verse aufsagten.

S, ich heiße Sally,
Und mein Mann, der heißt Sinclair …

Gegen fünf, als die Jungen schweißgebadet das letzte Spiel beendeten – viele Feldspieler und auch die Batter hatten ihre nassen Polohemden am Rand des Spielfelds auf den heißen Asphalt geworfen –, hörte Mr. Cantor plötzlich vom Ende des Centerfields Geschrei. Es war Kenny Blumenfeld, der ausgerechnet Horace anschrie. Horace hatte irgendwann im Lauf des Tages am Ende der Bank gesessen, doch dann hatte Mr. Cantor ihn aus den Augen verloren und nicht mehr gesehen. Wahrscheinlich war er wie meistens ziellos herumgewandert und gerade erst zum Sportplatz zurückgekehrt, wo er, wie es seine Gewohnheit war, mit schlurfenden Schritten zu einem Spieler ging – in diesem Fall war das Kenny, einer der größten Jungen auf dem Platz, Kenny, der am Morgen so untypisch losgeweint hatte, weil all seine Freunde Polio bekommen würden, und der jetzt ebenso untypisch Horace anschrie und drohend den Handschuh schwenkte. Er war einer derjenigen, die ihr Hemd ausgezogen hatten, und man konnte deutlich sehen, dass er stärker war als alle anderen. Horace dagegen, der seine übliche Sommerkleidung trug, bestehend aus einem viel zu großen kurzärmligen Hemd, einer ballonartigen Baumwollhose mit elastischem Bund und altmodischen, braun-weißen Schuhen mit Lochmuster, schien bis zur Abmagerung unterernährt. Seine Brust war eingesunken, seine Beine waren dünn, und seine dürren Marionettenarme, die von seinen Schultern baumelten, sahen aus, als könnte man sie wie einen Stock über dem Knie zerbrechen. Er machte den Eindruck, als würde ihn ein gehöriger Schreck umbringen, geschweige denn ein Faustschlag von einem Jungen mit Kennys Statur.

Sofort sprang Mr. Cantor von der Bank, wo er gesessen hatte, auf und rannte, so schnell er konnte, zum Ende des Centerfields, und die anderen Jungen auf dem Spielfeld und der Tribüne rannten ebenfalls. Die drei Mädchen auf der Straße hörten auf seilzuspringen, zum ersten Mal in diesem Sommer, wie es schien.

»Er soll weggehen!«, schrie Kenny, der Junge, der für die anderen ein Vorbild an Reife war und den Mr. Cantor bisher nicht ein einziges Mal hatte ermahnen müssen, sich zusammenzureißen. Eben dieser Kenny schrie nun: »Er soll weggehen, sonst bring ich ihn um!«

»Was ist los? Was ist passiert?«, fragte Mr. Cantor. Horace stand nur mit hängendem Kopf da, Tränen liefen ihm über die Wangen. Er klagte: Aus seiner Kehle drang wie eine Art Radiosignal ein dünnes Wimmern.

»Riecht ihr das?«, schrie Kenny. »Er ist ganz voll Scheiße! Er überträgt die Kinderlähmung! *Er* ist das! Er soll weggehen, verdammt! Er ist derjenige, der die Kinderlähmung überträgt!«

»Beruhige dich, Kenny«, sagte Mr. Cantor und versuchte, den Jungen festzuhalten, doch der machte sich mit heftigen Bewegungen frei. Sie waren jetzt umringt von den Spielern beider Mannschaften, und als einige der Jungen den tobenden Kenny am Arm nahmen und ihn wegziehen wollten, schlug er mit Fäusten nach ihnen, so dass sie rasch zurückwichen.

»Ich werde mich nicht beruhigen!«, schrie Kenny. »Er ist es! Er ist es! Seine Unterwäsche ist voll Scheiße! An seinen Händen ist Scheiße! Er wäscht sich nicht, er ist nicht sauber, und dann will er, dass wir ihm die Hand schütteln, und so trägt er die Kinderlähmung herum! Wegen ihm werden Leute zu Krüppeln! Wegen ihm sterben sie! Hau ab! Weg! Verschwinde!« Er schwenkte den Handschuh, als wollte er den Angriff eines tollwütigen Hundes abwehren.

Mr. Cantor wich den fuchtelnden Armen aus und stellte sich zwischen den hysterischen Jungen und das verängstigte Opfer seiner Wut.

»Du musst jetzt nach Hause gehen, Horace«, sagte Mr. Cantor ruhig. »Geh nach Hause zu deinen Eltern. Es ist Zeit fürs Mittagessen.«

Horace stank, er stank schrecklich. Und obwohl Mr. Cantor seine Worte wiederholte, weinte Horace einfach und sagte nichts.

»Hier, Horace«, sagte Mr. Cantor und streckte die Hand aus. Horace ergriff sie, ohne aufzusehen. »Wie geht's, Horace?«, flüsterte Mr. Cantor und schüttelte ihm die Hand, so herzlich, wie er am Abend zuvor Dr. Steinbergs Hand geschüttelt hatte, nachdem dieser ihm erlaubt hatte, sich mit Marcia zu verloben.

»Wie geht's, Horace?«, flüsterte Mr. Cantor und schüttelte Horaces schlaffe Hand. »Wie geht's, mein Junge?« Es dauerte etwas länger als sonst, wenn Horace zu einem der Spieler ging und neben ihm stehenblieb, aber auch diesmal wirkte dieses Ritual, und Horace wandte sich dem Ausgang zu – ob er nach Hause oder anderswohin gehen wollte, wusste niemand, wahrscheinlich nicht einmal er selbst. Die anderen Jungen, die Kennys Wutausbruch gehört hatten, wichen weit vor Horace zurück und sahen ihn allein durch die drückende Hitze schlurfen, während die Mädchen schrill schrien: »Er ist hinter uns her, der Verrückte ist hinter uns her!« und mit ihrem Seil zur Chancellor Avenue rannten, wo der Nachmittagsverkehr rauschte, auf der Flucht vor diesem Wesen, das ihnen vor Augen führte, wie tief die Not eines Menschen sein konnte.

Damit Kenny sich beruhigte, bat Mr. Cantor ihn am Ende des Tages, zu bleiben und ihm zu helfen, die Bälle und Schläger und die anderen Sachen im Lagerraum der Schule zu verstauen, und dann begleitete er Kenny den Hügel hinab zu seinem Haus in der Hansbury Avenue. Dabei sprach er die ganze Zeit leise mit ihm.

»Es türmt sich über allen auf, Ken. Du bist nicht der einzige im Viertel, der diesen Druck spürt. Diese Hitze und die Kinderlähmung – kein Wunder, dass alle mit den Nerven am Ende sind.«

»Aber er trägt sie herum, Mr. Cantor. Ich bin mir sicher. Ich hätte nicht so wütend werden sollen, immerhin ist er ja bloß ein Trottel, aber er ist schmutzig und überträgt Kinderlähmung. Er läuft überall herum und sabbert alles voll und schüttelt jedem die Hand, und so verbreitet er die Keime überall.«

»Wir wissen nicht, wie sie übertragen wird«, sagte Mr. Cantor.

»Wissen wir *doch*. Durch Schmutz. Durch Schmutz, Dreck und Scheiße«, sagte Kenny heftig, »und Horace ist schmutzig, dreckig und voller Scheiße. Er überträgt Kinderlähmung! Ich weiß es!«

Vor Kennys Haus legte Mr. Cantor dem Jungen die Hände auf die Schultern, doch der schüttelte sie sogleich ab. »Fassen Sie mich nicht an!«, schrie er. »Sie haben *ihn* angefasst!«

»Geh rein«, sagte Mr. Cantor immer noch ruhig, trat aber einen Schritt zurück. »Nimm eine kalte Dusche. Trink etwas Kühles. Beruhige dich, Ken. Wir sehen uns morgen auf dem Sportplatz.«

»Sie wollen nur nicht zugeben, dass er Kinderlähmung überträgt, weil er so jämmerlich und hilflos ist. Dabei ist er nicht bloß hilflos – er ist auch gefährlich. Verstehen Sie das nicht, Mr. Cantor? Er weiß nicht, wie man sich den Hintern abwischt, und so trägt er sie überall herum!«

Beim Abendessen betrachtete er seine Großmutter, während sie ihm das Essen auftat, und fragte sich, ob seine Mutter wohl so ausgesehen hätte, wenn sie das Glück gehabt hätte, fünfzig Jahre älter zu werden: zart, gebeugt, mit spröden Knochen und Haar, das seit Jahrzehnten nicht mehr dunkel, sondern zu einem dünnen weißen Flaum geworden war, mit schlaffer Haut in den Armbeugen und unter dem Kinn, mit Gelenken, die morgens schmerzten, und Knöcheln, die abends anschwollen und pochten, mit durchscheinender, papierner Haut auf den altersfleckigen Händen und Katarakten, die das, was sie sah, verschleierten und verfärbten. Das Gesicht über dem verfallenen Hals war ein dichtes Gespinst aus feinen Falten und Runzeln, so winzig, dass sie mit einem weit weniger groben Werkzeug als der Keule des Alterns erzeugt zu sein schienen, den Klöppeln einer Spitzenmacherin etwa oder einer Radiernadel, geführt von einem Meister, dessen Kunst sie so alt erscheinen ließ wie nur irgendeine Großmutter.

Als seine Mutter ein Mädchen gewesen war, hatte es eine große Ähnlichkeit zwischen ihr und seiner Großmutter gegeben. Das hatte er auf Fotos gesehen, wo ihm natürlich als Erstes aufgefallen war, wie ähnlich er seiner Mutter war – das galt besonders für das gerahmte Porträt von ihr, das auf der Kommode im Schlafzimmer seiner Großeltern stand. Das Bild, das sie mit achtzehn bei ihrem Highschool-Abschluss zeigte, war auch im Jahrbuch der Highschool für das Jahr 1919 abgedruckt, das Bucky als kleiner Junge oft durchgeblättert hatte, nachdem ihm die Erkenntnis gekommen war, dass die anderen Jungen in seiner Klasse nicht Enkel waren, die bei ihren Großeltern lebten, sondern Söhne, die eine Mutter und einen Vater hatten – das, was er als »richtige Familien« bezeichnete. Am besten begriff er, wie unsicher sein Stand in dieser Welt war, wenn Erwachsene ihn mit diesem Blick betrachteten, der ihm zuwider war, dem mitleidigen Blick, den er gut kannte, weil ihn manchmal auch seine Lehrer so ansahen. Dieser Blick machte nur zu deutlich, dass die alternden Eltern seiner Mutter das einzige waren, was zwischen ihm und dem trostlosen vierstöckigen Backsteinhaus an der nahegelegenen Clinton Avenue stand, diesem Haus mit seinem schwarzen Eisenzaun und den vergitterten Milchglasfenstern, mit der schweren Tür,

die ein weißer Davidstern zierte, und dem breiten Sims darüber, auf dem die beiden furchtbarsten Worte standen, die er je
gelesen hatte: ISRAELITISCHES WAISENHAUS.

Obwohl seine Großmutter sagte, auf dem Foto im Schlafzimmer könne man sehen, was für ein guter Mensch seine
Mutter gewesen sei, war es nicht sein Lieblingsfoto von ihr,
und zwar wegen der schwarzen Robe, die sie über dem Kleid
trug und deren Anblick ihn immer traurig machte, als wäre
diese Robe ein Vorzeichen, ein Vorbote des Leichenhemdes.
Doch wenn er allein zu Hause war, weil seine Großeltern im
Laden um die Ecke arbeiteten, ging er manchmal ins Zimmer
seiner Großeltern, strich mit dem Finger über das Foto und
zeichnete die Konturen des Gesichtes seiner Mutter nach, als
wäre das schützende Glas entfernt und als hätte er ihr Gesicht
in Fleisch und Blut vor sich. Er tat es, obwohl das, was er dabei
deutlich spürte, nicht die Gegenwart war, die er suchte, sondern vielmehr die Abwesenheit einer Frau, die er nur auf Fotos
gesehen und deren Stimme er nie gehört hatte, deren mütterliche Liebe ihm nie zuteil geworden war, die Mutter, der es nie
vergönnt gewesen war, für ihn zu sorgen, ihn zu füttern oder
ins Bett zu bringen, ihm bei seinen Hausaufgaben zu helfen,
ihn aufwachsen zu sehen und zu erleben, dass er als Erster in
der Familie ein College besuchte. Aber konnte er wirklich sagen, dass er als Kind nicht genug geliebt worden war? Warum
sollte die echte Zärtlichkeit einer liebevollen Großmutter
weniger wert sein als die Zärtlichkeit einer Mutter? Sie sollte
nicht weniger wert sein, und doch spürte er insgeheim, dass es
so war – und schämte sich für diesen Gedanken.

Nach all den Jahren kam Mr. Cantor zum ersten Mal auf
den Gedanken, dass Gott nicht nur jetzt die Polio in Weequa-

hic grassieren ließ, sondern auch vor dreiundzwanzig Jahren zugelassen hatte, dass seine Mutter, die erst zwei Jahre zuvor die Highschool abgeschlossen hatte und jünger gewesen war als er jetzt, bei der Entbindung gestorben war. So hatte er ihren Tod noch nie zuvor betrachtet. Durch die Fürsorge seiner Großeltern war ihr Tod ihm bisher immer wie etwas vorgekommen, das hatte geschehen müssen. So wie es hatte sein müssen, dass sein Vater ein Spieler und Dieb war – es konnte gar nicht anders sein. Jetzt dagegen begann er zu sehen, dass die Dinge wegen Gott nicht anders sein konnten. Wenn Gott nicht wäre, wenn Gott nicht so wäre, wie er war, *könnten* sie anders sein.

Solche Dinge konnte er nicht mit seiner Großmutter besprechen, die ein ebenso wenig reflektierender Mensch war wie sein Großvater, und er hatte auch nicht vor, sie mit Dr. Steinberg zu besprechen, der zwar ein überaus reflektierender Mensch, aber auch praktizierender Jude war und an den Gedanken, die diese Polioepidemie in Mr. Cantor auslöste, womöglich Anstoß genommen hätte. Für Mr. Cantor war es unvorstellbar, Dr. Steinberg oder ein Mitglied seiner Familie in irgendeiner Weise vor den Kopf zu stoßen, und das galt vor allem für Marcia, für die die jüdischen Feiertage stets ein Quell des Gedenkens und eine Zeit des Gebets waren. An allen drei Tagen nahm sie mit ihrer Familie am Gottesdienst in der Synagoge teil. Er wollte alles respektieren, was die Steinbergs respektierten, auch die Religion, die ihn mit ihnen verband, obwohl er ihr, wie sein Großvater – für den nicht die Religion eine Pflicht, sondern die Pflicht eine Religion gewesen war – eher indifferent gegenüberstand, und er war auch immer imstande gewesen, das zu tun, es hatte ihn nie eine Anstrengung gekostet, bis zu dem Augenblick, da in ihm der Zorn darüber ausbrach, dass die Kinderlähmung ihm und dem Sportplatz all diese wunderbaren Jungen und auch die unverbesserlichen Kopferman-Jungen raubte. Zorn nicht auf die Italiener oder die Fliegen oder die Post oder das Geld oder das stinkende Secaucus oder die gnadenlose Hitze oder Horace, nicht auf irgendeine noch so unwahrscheinliche Ursache, die die Menschen in ihrer Angst und Verwirrung ausgemacht hatten, Zorn nicht auf das Poliovirus, sondern auf Gott, den Schöpfer dieses Virus.

»Du überanstrengst dich doch nicht, Eugene, oder?« Das Abendessen war vorbei, und er wusch das Geschirr ab, während seine Großmutter am Küchentisch saß und ein Glas Eiswasser aus dem Kühlschrank trank. »Du gehst zum Sportplatz, du gehst zu den Familien deiner Jungs, am Sonntag gehst du zur Beerdigung, abends kommst du her, um mir zu helfen – vielleicht solltest du aufhören, in dieser Hitze umherzurennen, und mal mit dem Zug ans Meer fahren und dir für das Wochenende ein Zimmer nehmen. Mal ausspannen. Mal weg von dieser Hitze. Mal weg vom Sportplatz. Einfach nur ein bisschen schwimmen. Das würde dir bestimmt sehr gut tun.«

»Das ist ein guter Gedanke, Grandma. Keine schlechte Idee.«

»Die Einnemans können nach mir sehen, und am Sonntag abend kommst du dann erholt zurück. Diese Polio-Geschichte zehrt an dir, und davon hat keiner was.«

Beim Abendessen hatte er ihr von den drei neuen Fällen auf dem Sportplatz erzählt und gesagt, er werde später, wenn sie vom Krankenhaus zurück seien, mit den Familien telefonieren.

Wieder ertönten Sirenen, diesmal ganz in der Nähe, und das war ungewöhnlich, da es seines Wissens in diesem dreieckigen, von Springfield, Clinton und Belmont Avenue begrenzten Wohnviertel rechts und links der Avon Avenue bisher nur drei oder vier Polio-Opfer gegeben hatte. Von allen Vierteln der Stadt hatten sie die wenigsten Fälle. Insbesondere am südlichen Ende des Dreiecks, wo er und seine Großmutter lebten und die Mieten viel niedriger waren als in Weequahic, das als weit attraktivere Wohngegend galt, hatte es nur einen einzigen Poliofall gegeben – einen dreißigjährigen Mann, der als Stauer im Hafen arbeitete –, während es in Weequahic mit seinen fünf Grundschulen bereits in den ersten Juliwochen hundertvierzig waren, allesamt Kinder unter vierzehn.

Ja, natürlich: das Meer. Wohin sich bereits einige seiner Jungen mit ihren Müttern für den Rest des Sommers geflüchtet hatten. Er kannte eine Pension in der Bradley Street, ein Stück vom Strand entfernt, wo er für einen Dollar ein Bett im Keller bekommen konnte. Er konnte vom Turm des großen Meerwasserbeckens an der Promenade springen. Er konnte den ganzen Tag springen und am Abend einen Spaziergang nach Asbury Park machen und unter den Arkaden eine Tüte frittierte Muscheln und ein Ginger Ale kaufen, sich auf eine Bank mit Blick aufs Meer setzen und zufrieden schmausen, während er zusah, wie die Wellen an den Strand krachten. Was konnte von der Polioepidemie in Newark weiter entfernt sein, was konnte erholsamer sein als der donnernde, schäumende schwarze nächtliche Atlantik? Es war seit Kriegsbeginn der erste Sommer, in dem eine Gefahr durch deutsche U-Boote oder heimlich nachts an Land gebrachte Saboteure nicht mehr gegeben und die Verdunkelung aufgehoben war, und auch wenn die Küstenwache noch immer an den Stränden patrouillierte und alle paar Kilometer Kleinbunker aufgestellt hatte, brannten an der Küste von New Jersey wieder alle Lichter. Das bedeutete, dass die Deutschen und Japaner vernichtende Niederlagen erlitten und Amerikas Krieg sich nach drei Jahren endlich dem Ende zuneigte. Es bedeutete, dass Big Jake Garonzik und Dave Jacobs, seine beiden besten Freunde vom Panzer College, unversehrt zurückkehren würden, wenn es ihnen gelang, noch ein paar Monate in Europa zu überstehen. Er dachte an das Lied, das Marcia so liebte: *I'll be seeing you in all the old familiar places.* Das würde etwas werden: Jake und Dave an den alten, vertrauten Orten wiederzusehen!

Er hatte die Schmach, sie nicht begleiten zu dürfen, nie ganz verwunden, auch wenn er wusste, dass es nicht seine Schuld war. Sie waren bei einer Fallschirmeinheit gelandet und sprangen von Flugzeugen in die Schlacht – genau das, was er selbst gern getan hätte, genau das, wofür er *gemacht* war. Vor etwa sechs Wochen, am 6. Juni, dem Tag der Invasion, hatten sie zu einer riesigen Fallschirmtruppe gehört, die in der Normandie hinter den feindlichen Linien gelandet war. Mr. Cantor stand in Kontakt mit ihren Familien und wusste, dass die beiden, trotz hoher Verluste der beteiligten Einheiten, überlebt hatten, und da er die Entwicklung in den Zeitungen verfolgte, nahm er an, dass sie Ende Juni wahrscheinlich an den heftigen Gefechten um Cherbourg teilgenommen hatten. Das erste, was Mr. Cantor in der Zeitung las, die seine Großmutter jeden Abend von den Einnemans bekam, wenn diese sie gelesen hatten, waren die Berichte über den Kriegsverlauf in Frankreich. Erst dann wandte er sich den Nachrichten über die Polioepidemie in Newark zu, die er zum großen Teil bereits kannte.

Unter der Überschrift »Das Polio-Bulletin« gab es jetzt allabendlich eine Spalte auf der Titelseite der *Newark Evening News*. Es stand unter dem Foto eines Quarantäneschildes mit der Aufschrift: »Gesundheitsamt Newark, New Jersey – Zutritt verboten. In diesem Gebäude hat es einen Fall von Polio gegeben. Personen, die gegen die Isolations- und Quarantäneverordnungen des Gesundheitsamtes verstoßen oder dieses Schild unbefugt entfernen, verändern oder unkenntlich machen, werden mit einer Geldstrafe von bis zu 50 Dollar bestraft.« Dieses Bulletin wurde auch täglich im örtlichen Radiosender verlesen und informierte die Bürger über die Anzahl und die Verteilung der Poliofälle in der Stadt und alle anderen wichtigen Entwicklungen. Bisher hatten die Leute nicht das gelesen und gehört, was sie zu lesen und zu hören hofften: Die Epidemie ging nicht zurück – vielmehr hatte die Zahl der Fälle seit dem Vortag zugenommen. Diese Zahlen waren natürlich beängstigend, entmutigend und zermürbend, denn dies waren nicht die unpersönlichen Zahlen, wie man sie sonst in der Zeitung las oder im Radio hörte, keine Zahlen, die dazu dienten, ein Haus zu finden, das Alter eines Menschen zu bestimmen oder den Preis von einem Paar Schuhe zu nennen. Es waren die furchterregenden Zahlen, die das Fortschreiten einer schrecklichen Krankheit bezifferten, und in den sechzehn Bezirken Newarks wurden sie aufgenommen wie die Zahlen der im Krieg gefallenen, verwundeten und vermissten Soldaten. Denn auch dies war ein Krieg, in dem es Tod, Zerstörung, Verdammnis und all die anderen Verheerungen des Krieges gab, es war ein Krieg, der gegen die Kinder von Newark geführt wurde.

Ja, das Meer. Ein paar Tage allein am Strand würden ihm guttun. Zu Beginn des Sommers hatte er vorgehabt, jedes Wochenende ans Meer zu fahren, wenn Marcia fort war, und dort den ganzen Tag Turmspringen zu üben, abends auf der Promenade nach Asbury zu gehen und nach Herzenslust frittierte Muscheln zu essen. Der Keller war feucht und das Duschwasser nicht immer warm, und in den Handtüchern und Laken waren Sandkörner, aber abgesehen vom Speerwerfen war Turmspringen sein Lieblingssport. Zwei Tage am Meerwasserbecken würden ihm helfen, über seinen Kummer wegen der erkrankten Kinder hinwegzukommen, sie würden seine Erregung über Kenny Blumenfelds hysterischen Ausfall und vielleicht auch seinen Zorn auf Gott abklingen lassen.

Als seine Großmutter draußen bei den Nachbarn saß und er den Abwasch gerade beendet hatte und sich in Unterhosen und kurzärmligem Unterhemd an den Tisch setzte, um ein weiteres Glas Eiswasser zu trinken, rief Marcia an. Dr. Steinberg hatte ihm zugesagt, er und seine Frau würden mit Marcia erst nach ihm über die bevorstehende Verlobung sprechen, und so wusste sie noch nichts von dem Gespräch, das Mr. Cantor und Dr. Steinberg am Vorabend auf der hinteren Veranda geführt hatten. Sie rief an, um ihm zu sagen, dass sie ihn liebe und dass er ihr fehle, und um zu hören, ob er sich entschlossen habe, Irv Schlangers Job als Bademeister des Sommercamps zu übernehmen.

»Was soll ich Mr. Blomback sagen?«, fragte sie.

»Sag ihm Ja«, antwortete Mr. Cantor. Und darüber war er ebenso überrascht wie über seine Bitte an Dr. Steinberg, sich mit seiner Tochter verloben zu dürfen. »Sag ihm, ich komme.«

Dabei hatte er eigentlich vorgehabt, dem Rat seiner Großmutter zu folgen und für das Wochenende ans Meer zu fahren, wo er seine Standfestigkeit stärken würde, um sich erholt aufs

Neue den Anforderungen seiner Aufgabe zu stellen. Wenn Jake und Dave sich am Tag der Invasion an Fallschirmen auf das von den Nazis besetzte Frankreich stürzten und den alliierten Brückenkopf sicherten, indem sie gegen erbitterten deutschen Widerstand Cherbourg einnahmen, dann konnte er sich doch wohl den Gefahren stellen, die mitten in einer Polioepidemie mit der Aufsicht über den Sportplatz der Chancellor Avenue School verbunden waren.

»Oh, Bucky, das ist ja wunderbar!«, rief Marcia. »Ich kenne dich doch und hatte solche Angst, du würdest Nein sagen. Du kommst, du kommst nach Indian Hill! Ach, ist das schön!«

»Ich muss O'Gara anrufen und es ihm sagen, damit er einen Ersatz organisiert. O'Gara ist der Mann beim Schulamt, der die Sportplätze unter sich hat. Es könnte ein paar Tage dauern.«

»Mach einfach so schnell, wie du kannst.«

»Und dann muss ich mit Mr. Blomback sprechen. Über den Job und das Gehalt. Ich muss die Miete bezahlen und meine Großmutter unterstützen.«

»Das wird kein Problem sein«, sagte Marcia.

»Und dann muss ich mit dir sprechen, über unsere Verlobung«, sagte er.

»Was? Über was?«

»Über unsere Verlobung, Marcia. Darum nehme ich den Job ja. Ich war gestern Abend bei deinem Vater und habe ihn um seine Erlaubnis gebeten. Wenn ich komme, werden wir uns verloben.«

»Tatsächlich?«, sagte sie. »Aber ist es nicht üblich, zuerst das beteiligte Mädchen zu fragen, auch wenn es so willig ist wie ich?«

»Ach so? Ich hab so was noch nie gemacht. Willst du meine Verlobte sein?«

»Aber natürlich! Ach, Bucky, ich bin so glücklich!«

»Ich auch«, sagte er, und für einen Augenblick gelang es ihm, den Verrat an seinem Engagement und seiner Verantwortung für die Jungen beinahe zu vergessen; es gelang ihm beinahe, das Ausmaß seiner Empörung darüber zu vergessen, dass Gott den unschuldigen Kindern von Weequahic etwas antat, das einer Heimsuchung gleichkam. Solange er mit Marcia sprach, war er beinahe imstande, alles aus einer völlig anderen Perspektive zu sehen und Pläne für ein normales Leben nach der Epidemie zu machen, doch sobald er aufgelegt hatte, waren da seine männlichen Ideale – die Ideale der Wahrhaftigkeit und Stärke, die ihm sein Großvater mitgegeben hatte, die Ideale des Mutes und der Opferbereitschaft, die er mit Jake und Dave geteilt hatte, als sie zum Rekrutierungsbüro gegangen waren, Ideale, nach denen er bereits als Junge gestrebt hatte, um dem Hang seines kriminellen Vaters zu Täuschung und Betrug etwas entgegenzusetzen –, und diese Ideale forderten von ihm, den Kurs zu ändern und für den Rest des Sommers zu der Aufgabe zurückzukehren, die man ihm übertragen hatte.

Wie hatte er nur tun können, was er getan hatte?

Am nächsten Morgen trug er die Gerätschaften aus dem Lagerraum hinauf auf den Sportplatz, teilte die knapp zwanzig Jungen, die zum Spielen gekommen waren, in Mannschaften ein und ließ sie mit dem Baseballspiel beginnen, bevor er in den Keller zurückkehrte und von seinem Büro aus O'Gara anrief, um ihm zu sagen, dass er zum Ende der Woche aufhören und einen Job als Bademeister in einem Sommercamp in den Poconos antreten werde. Bevor er zum Sportplatz aufgebrochen war, hatte er erfahren, dass es in der Stadt neunundzwanzig neue Poliofälle gab, sechzehn davon in Weequahic.

»Sie sind heute morgen schon der zweite«, sagte O'Gara. »Drüben, am Sportplatz an der Peshine Avenue, ist so ein Jude, der mich ebenfalls hängenlässt.« O'Gara war ein müder alter Mann, der einen rauhen Ton pflegte, in jedem einen Widersacher witterte und schon seit Jahren die Aufsicht über die Sportplätze organisierte. Der Höhepunkt seines Lebens lag in der Zeit des Ersten Weltkriegs, als er ein herausragender Footballspieler an der Central Highschool gewesen war. Seine Schroffheit war nicht unbedingt verletzend, machte Mr. Cantor aber trotzdem nervös: Er empfand es als peinlich, wie ein Kind nach Worten der Erklärung suchen zu müssen. O'Garas barsche Art war ähnlich wie die seines Großvaters und vermutlich auf ähnliche Art erworben, nämlich auf den harten Straßen des Third Ward. Leider war sein Großvater der letzte, an den er erinnert werden wollte, während er im Begriff war, etwas zu tun, das nicht seinem Wesen entsprach. Er wollte an Marcia, an die Steinbergs, an die Zukunft denken, doch statt dessen war da sein Großvater und fällte sein Urteil, mit einem ganz leichten irischen Akzent.

»Der Bademeister, den ich im Sommercamp ablösen soll, ist gerade eingezogen worden«, sagte Mr. Cantor. »Ich muss am Freitag dorthin fahren.«

»Das hab ich jetzt davon, dass ich Ihnen einen so guten Job gegeben habe, obwohl Sie erst ein Jahr aus dem College sind. Ihnen ist doch wohl klar, Cancer, dass Sie sich damit nicht gerade mein Vertrauen erwerben, oder? Und dass ich keine große

Lust haben werde, Sie noch mal einzustellen, wenn Sie mich jetzt im Juli im Stich lassen, oder?«

»Cantor«, berichtigte Mr. Cantor ihn wie jedesmal, wenn sie miteinander sprachen.

»Mir ist egal, ob irgendjemand eingezogen wird oder nicht«, sagte O'Gara. »Ich mag's einfach nicht, wenn einer einfach so aufhört.« Und dann fügte er hinzu: »Besonders wenn's einer ist, der *nicht* in der Armee ist.«

»Es tut mir leid, Mr. O'Gara. Und«, sagte er, und seine Stimme war schriller, als ihm lieb war, »es tut mir leid, dass ich nicht in der Armee bin, es tut mir mehr leid, als Sie sich vorstellen können.« Um die Sache noch schlimmer zu machen, fügte er hinzu: »Ich muss gehen. Ich habe keine andere Wahl.«

»Was? Sie haben keine Wahl?«, fuhr O'Gara ihn an. »Natürlich haben Sie eine Wahl. Was Sie gerade tun, nennt man: eine Wahl treffen. Sie hauen vor der Polio ab. Sie nehmen einen Job an, und dann kommt die Polio, und schon schmeißen Sie den Job hin und kümmern sich einen Dreck um Ihre Pflicht und hauen ab, so schnell Sie nur können. Sie laufen bloß davon, und dabei sind Sie doch so ein Muskelprotz. Sie sind ein Opportunist, Cancer, ganz einfach. Es gibt noch schlimmere Worte für Leute wie Sie, aber ich will's dabei belassen.« Und dann wiederholte er in angewidertem Ton: »Opportunist«, als bezeichnete dieses Wort all die niederen Instinkte, die einen Mann zum Versager machen konnten.

»Meine Verlobte ist in diesem Sommercamp«, sagte Mr. Cantor lahm.

»Die war auch schon dort, als Sie den Job an der Chancellor angenommen haben.«

»Eigentlich nicht«, beeilte er sich zu sagen, als würde das

für O'Gara irgendeinen Unterschied machen. »Wir haben uns gerade erst verlobt.«

»Na gut, Sie haben anscheinend auf alles eine Antwort. Genau wie der Typ an der Peshine. Ihr Juden habt immer auf alles eine Antwort. Nein, Sie sind nicht auf den Kopf gefallen – aber O'Gara ebenfalls nicht, Cancer. Also gut, ich werde einen auftreiben, der Ihren Job übernimmt, sofern es in dieser Stadt jemanden gibt, der eine so anspruchsvolle Arbeit erledigen kann. Und Ihnen wünsche ich viel Spaß, wenn Sie mit Ihrer Freundin im Sommercamp Marshmallows rösten.«

Es war genau so unangenehm gewesen, wie er es sich vorgestellt hatte, aber er hatte es getan, und nun war es erledigt. Jetzt musste er nur noch drei Tage auf dem Sportplatz überstehen, ohne sich mit Polio anzustecken.

2 Indian Hill

ER WAR NIE ZUVOR in den Poconos gewesen oder in den ländlichen Regionen, wo New Jersey an Pennsylvania grenzt. Die Zugfahrt führte zwischen Hügeln, Wäldern und Farmland hindurch und vermittelte ihm die Vorstellung, nicht bloß in den nächsten Bundesstaat, sondern in eine sehr viel weitere Ferne unterwegs zu sein. Diese Reise durch eine ihm gänzlich unvertraute Landschaft hatte eine epische Dimension und gab ihm ein Gefühl, wie er es schon bei den wenigen anderen Zugfahrten gehabt hatte – so auch kürzlich, als er ans Meer gefahren war: das Gefühl, dass eine ganz unbekannte Zukunft im Begriff war anzubrechen. Der Anblick der tiefen, von seinem Ziel Stroudsburg nur fünfzehn Minuten entfernten Schlucht, die der Delaware, der Pennsylvania und New Jersey trennte, durch die Berge gegraben hatte, verstärkte nur die Intensität dieser Reise und erfüllte ihn mit der – zugegebenermaßen unbegründeten – Gewissheit, dass kein Zerstörer eine so großartige natürliche Grenze würde überschreiten können, um ihn zu packen.

Es war das erste Mal seit dem Tod seines Großvaters drei Jahre zuvor, dass er seine Großmutter länger als ein Wochenende in der Obhut anderer ließ, das erste Mal, dass er der Stadt für länger als ein, zwei Tage den Rücken kehrte. Und zum ersten Mal seit Wochen beherrschte die Polio nicht all seine Gedanken. Er trauerte noch immer um die beiden Jungen, die gestorben waren, er war noch immer bedrückt, wenn er an die anderen Jungen dachte, die diese furchtbare Krankheit bekommen hatten, aber er hatte nicht das Gefühl, dass er den Erfordernissen nicht gerecht geworden war oder dass ein anderer seine Aufgabe besser erfüllt hätte. Er hatte sich der gewaltigen Herausforderung mit all seiner Kraft gestellt, und dann hatte er beschlossen, sich ihr nicht mehr zu stellen, sondern aus der glutheißen, von der Epidemie geschüttelten Stadt und dem unablässigen Gejaule der Sirenen zu fliehen.

In Stroudsburg erwartete ihn Carl, der Fahrer des Feriencamps, ein großer, schüchterner Mann mit Kindergesicht und Glatze, in dem alten Kombi. Carl hatte im Ort ein paar Vorräte gekauft und wollte Bucky abholen. Als er Carl die Hand schüttelte, war Buckys erster Gedanke: »Der ist kein Polio-Überträger.« Und es ist kühl hier, wurde ihm bewusst. Sogar in der Sonne ist es kühl!

Er stellte seine Tasche auf die Ladefläche. Zwischen zwei- und dreistöckigen Backsteinhäusern – in den Erdgeschossen befanden sich Läden, in den Stockwerken darüber Büros – durchquerten sie auf der hübschen Hauptstraße den Ort, bogen dann nach Norden ab und fuhren auf Serpentinen in die Berge. Sie kamen an Farmen vorbei. Auf den Weiden standen Pferde und Rinder, gelegentlich sah er einen Bauern im Overall, es gab Silos und Scheunen und niedrige Drahtzäune und auf Pfosten montierte Briefkästen, aber weit und breit keine Polio. Auf dem Kamm bogen sie von der Landstraße scharf auf einen unasphaltierten Weg ab, an dem ein Wegweiser zum Camp stand. Die Worte CAMP INDIAN HILL und ein Emblem – ein von

Flammen umlodertes Tipi – waren anscheinend in das Holz eingebrannt. Dasselbe Emblem befand sich auch auf den Türen des Wagens. Nach ein paar Kilometern über einen gewundenen, rüttelnden Waldweg – der, wie Carl erklärte, nicht ausgebessert wurde, um Ausflügler und Touristen abzuschrecken – lagen plötzlich ein weites grünes Oval und der Eingang des Feriencamps vor ihnen. Bucky hatte ein ähnliches Gefühl wie damals, als er mit Jake und Dave ins Ruppert Stadium gegangen war, um die Newark Bears spielen zu sehen, und – nachdem er aus dem trübe beleuchteten Korridor auf die Treppe zwischen den Sitzplätzen getreten war – inmitten des hässlichsten Teils der Stadt die weite, mit gemähtem Gras bedeckte Fläche vor ihm gelegen hatte. Doch das war ein eingezäuntes Baseballfeld gewesen. Hier dagegen ging der Blick in grenzenlose Weite, und die Zuflucht, die dieser Ort verhieß, war weit schöner als jedes Baseballfeld.

In der Mitte stand ein Metallmast mit der amerikanischen Fahne und darunter einer Fahne mit dem Emblem des Camps, und es gab auch ein großes, vier bis fünf Meter hohes Tipi, dessen lange Stangen durch das Loch in der Spitze ragten. Das graue Segeltuch war oben mit zwei an Blitze gemahnenden Zickzacklinien und unten mit einer Welle bemalt, die vermutlich eine Bergkette symbolisieren sollte. Zu beiden Seiten des Tipis standen dunkle Totempfähle.

Unterhalb von Mast, Tipi und Totempfählen lag ein riesiger blauer See. Entlang des Ufers gab es einen mit Bohlen belegten Weg, von dem im Abstand von etwa fünfzehn Metern drei schmale, dreißig Meter lange Badestege in den See ragten; zwei davon waren am Ende mit Sprungtürmen versehen. Das musste der Badebereich der Jungen sein, über den er die Aufsicht haben würde. Marcia hatte ihm gesagt, der See werde aus natürlichen Quellen gespeist. Es klang wie ein Wunder: natürliche Quellen – noch eine Art zu sagen: »keine Polio«. Er trug ein weißes kurzärmliges Hemd und eine Krawatte, und als er aus dem Wagen stieg, spürte er die Sonne auf Gesicht und Armen, merkte aber auch, dass die Luft noch kühler war als in Stroudsburg. Als er den Riemen der Tasche über die Schulter hängte, war er überwältigt von Freude, von verzückter Freude über diesen Neubeginn, von dem überschwenglichen Gefühl: »Ich lebe! Ich lebe!«

Ein Fußweg führte zu einer kleinen Blockhütte mit Blick auf den See, in der Mr. Blomback sein Büro hatte. Carl hatte darauf bestanden, Buckys große Reisetasche ins Jungencamp zu bringen, zu einem Haus namens »Comanche«, wo er mit einer Gruppe von älteren, fünfzehnjährigen Jungen und ihrem Betreuer wohnen würde. Jedes Haus im Camp trug den Namen eines Indianerstamms.

Bucky klopfte an die Fliegentür von Mr. Blombacks Büro und wurde von diesem herzlich willkommen geheißen. Mr. Blomback war ein hochgewachsener, schlaksiger Mann mit einem langen Hals, einem großen Adamsapfel und grauen Haarsträhnen, die kreuz und quer über seinem sonnenverbrannten Schädel lagen. Er war etwa Mitte Fünfzig und wirkte in Khakishorts und Polohemd drahtig und extrem durchtrainiert. Von Marcia wusste Bucky, dass Blomberg, als er 1926 in jungen Jahren zum Witwer geworden war, Konrektor an der West Side Highschool in Newark gewesen war und eine vielversprechende Karriere im Schuldienst aufgegeben und mit dem Geld seiner Familie dieses Camp gekauft hatte, um einen Ort zu haben, wo er seinen fünf- und sechsjährigen Söhnen das Wissen und die Fertigkeiten der Indianer vermitteln konnte, die er als Mann, der die Sommer vorzugsweise in der freien Natur verbrachte, so liebte. Die beiden waren inzwischen erwachsen und in der Armee, und das Camp war zu Mr. Blombacks Lebensaufgabe geworden. Er gab den Angestellten Anweisungen und besuchte jüdische Familien in New Jersey und Pennsylvania, um für das Camp zu werben. In seinem Büro, dessen Innenwände ebenfalls aus behauenen Baumstämmen bestanden, hingen hinter dem Schreibtisch fünf indianische Federhauben; Fotos von Jungengruppen aus vergangenen Jahren zierten die anderen Wände, bis auf die Stellen, wo Regale standen, die von Büchern überquollen, allesamt über Leben und Fertigkeiten der Indianer, wie Mr. Blomback sagte.

»Das ist meine Bibel«, erklärte er und reichte Bucky ein dickes Buch mit dem Titel *The Book of Woodcraft*. »Das hat mich inspiriert. Und das hier auch«, sagte er und gab ihm ein anderes, dünneres Buch: *Manual of the Woodcraft Indians*. Gehorsam blätterte Bucky es durch und sah Zeichnungen von Pilzen, Vögeln und den Blättern verschiedener Bäume, die er nicht identifizieren konnte. Sein Blick fiel auf ein Kapitel mit der Überschrift »Vierzig Vogelarten, die ein Junge kennen sollte«. Er musste zugeben, dass er, ein erwachsener Mann, nicht mehr als ein paar davon kannte.

»Jeder, der ein Feriencamp leitet, ist von diesen Büchern inspiriert worden«, sagte Mr. Blomback. »Ernest Thompson Seton hat die Rückbesinnung auf die Indianer und ihre Lebensweise ganz allein in Gang gesetzt. Er war ein sehr bedeutender Mann. ›Männlichkeit‹, sagt er, ›ist das oberste Ziel der Erziehung. Im Freien tun wir Dinge, die – mit einem Wort gesagt – zur Männlichkeit hinführen.‹ Unerlässliche Bücher. Sie orientieren sich immer an einem heroischen Ideal. Sie betrachten den roten Mann als den großen Propheten des Lebens und Überlebens in der freien Natur und wenden seine Methoden an, wann immer sie hilfreich sind. Sie treten für Initiationsriten ein, die, nach dem Vorbild der Indianer, aus Prüfungen der inneren Stärke bestehen. Sie sagen, dass Selbstbeherrschung die Grundlage aller Kraft ist. ›Über alles das Heldentum‹, sagt Seton.«

Bucky nickte und stimmte ihm zu, dies seien wichtige Dinge, auch wenn er bisher noch nie von Seton gehört habe.

»Jedes Jahr am 14. August feiert das Camp Setons Geburtstag mit einem indianischen Fest. Ihm haben wir die Camp-Bewegung des zwanzigsten Jahrhunderts zu verdanken, eine der größten Errungenschaften unseres Landes.«

Wieder nickte Bucky. »Ich würde diese Bücher gern lesen«, sagte er. »Es klingt, als wären es wichtige Bücher, besonders wenn es um die Erziehung von Jungen geht.«

»In Indian Hill geht es um die Erziehung von Jungen *und* Mädchen. Ja, ich möchte, dass Sie sie lesen. Sobald Sie sich ein wenig eingerichtet haben, können Sie kommen und sie sich ausleihen. Wunderbare Bücher aus der Zeit, als das Jahrhundert noch jung war und das ganze Land, angeführt von Teddy Roosevelt, sich dem Leben in der freien Natur zugewandt hat. Sie hat mir der Himmel geschickt, junger Mann«, sagte Mr. Blomback. »Ich kenne Doc Steinberg und seine Familie mein Leben lang, und wenn die Steinbergs sich für Sie verbürgen, dann reicht mir das. Ich werde einem der Betreuer sagen, dass er Ihnen das Camp zeigen soll, und dann gehe ich mit Ihnen hinunter zum See und stellen Ihnen alle dort vor. Man erwartet Sie bereits. Am Badeplatz haben wir zwei Ziele: Wir wollen den Jungen das Verhalten und die Sicherheit im Wasser beibringen.«

»Beides habe ich in Panzer gelernt, Mr. Blomback. Und bei meinem Sportunterricht in der Chancellor Avenue School steht Sicherheit ebenfalls an erster Stelle.«

»Die Eltern überlassen ihre Kinder in den Sommermonaten unserer Obhut«, sagte Mr. Blomback. »Wir dürfen sie auf keinen Fall enttäuschen. Seit ich dieses Camp vor achtzehn Jahren gekauft habe, hatten wir nicht einen einzigen Badeunfall. Nicht einen einzigen.«

»Sie können darauf vertrauen, Sir«, sagte Bucky, »dass ich ganz besonders auf Sicherheit achten werde.«

»Nicht einen einzigen Unfall«, wiederholte Mr. Blomback streng. »Die Aufsicht über den Badeplatz ist eine der verantwortungsvollsten Aufgaben im Camp. Vielleicht sogar die verantwortungsvollste von allen. Ein einziger fahrlässiger Unfall im Wasser kann für das Camp das Ende sein. Jeder Junge hat selbstverständlich einen Schwimmkameraden seiner eigenen Jahrgangsgruppe. Die beiden dürfen nur gemeinsam im Wasser sein. Vor, beim und nach dem Schwimmen müssen sie aufeinander achtgeben. Schwimmen ohne Begleitung kann zu tödlichen Unfällen führen.«

»Ich bin ein verantwortungsbewusster Mensch, Sir. Sie können sich auf mich verlassen. Ich werde für Sicherheit sorgen. Seien Sie beruhigt, Mr. Blomback, ich weiß, wie wichtig dieses Kameradschaftssystem ist.«

»Gut. Gerade wird das Mittagessen ausgegeben«, sagte Mr. Blomback. »Heute gibt's Makkaroni mit Käse. Roastbeef zum Abendessen. Rationierung hin oder her – freitags abends gibt's in Indian Hill Roastbeef. Kommen Sie mit, damit Sie was zwischen die Zähne kriegen. Und hier ... ein Polohemd unseres Camps. Binden Sie die Krawatte ab und ziehen Sie es einfach über Ihr Hemd. Kommen Sie, gehen wir. Irv Schlanger hat seine Laken, Bettbezüge und Handtücher dagelassen. Die können Sie übernehmen. Wäschewechsel ist montags.«

Das Hemd war das gleiche wie Mr. Blombacks: Auf der Vorderseite waren der Name des Camps und darunter das Symbol, das auf dem Schild an der Straße gestanden hatte: ein von Flammen umlodertes Tipi.

Nur wenige Schritte über einen hölzernen Steg von Mr. Blombacks Büro am See entfernt stand der große, gezimmerte, an den Seiten offene Speisepavillon, wo es bereits von Jugendlichen und Betreuern wimmelte. Die Mädchen und ihre Betreuerinnen saßen an runden Tischen auf der einen Seite des Mittelgangs, die Jungen und ihre Betreuer auf der anderen. Draußen waren die milde Wärme der Sonne – die Bucky jetzt nicht mehr feindselig, sondern wohltuend erschien, ein gütiger Vater, Gott des Lichts, der Mutter Erde befruchtete –, das Glitzern des Sees und das üppig wuchernde Grün des Juli, über das er kaum mehr wusste als über die Vögel; drinnen erfüllte der Lärm von Kinderstimmen den Pavillon und erinnerte ihn daran, wie sehr er es genoss, mit Kindern zusammen zu sein, und warum er seine Arbeit liebte. In diesen anstrengenden Wochen, in denen er ständig auf eine Bedrohung geachtet hatte, gegen die er die ihm Anvertrauten nicht beschützen konnte, hatte er beinahe vergessen, wie viel Freude ihm dies bereitete. Hier waren unbeschwerte, lebendige Kinder, die nicht von einem grausamen, unsichtbaren Feind bedroht wurden, Kinder, die durch die Wachsamkeit von Erwachsenen tatsächlich vor Unfällen bewahrt werden konnten. Zum

Glück musste er endlich nicht mehr hilflos zusehen, wie Tod und Schrecken um sich griffen, sondern war wieder inmitten furchtloser, kerngesunder Kinder. Dies war eine Arbeit, die er tun konnte.

Mr. Blomback hatte ihn mit seinem Mittagessen alleingelassen und gesagt, sie würden sich nach dem Essen wieder treffen. Im Pavillon wusste noch niemand, wer er war; man kümmerte sich auch nicht um ihn. Kinder und Betreuer unterhielten sich angeregt beim Essen, Zimmergenossen redeten, lachten und schrien, an manchen Tischen wurde sogar gesungen – es war, als wären nicht bloß ein paar Stunden, sondern viele Monate vergangen, seit sie beim Frühstück zusammengewesen waren. Er sah sich nach Marcia um, die ihn ihrerseits vermutlich noch nicht erwartete. Bei ihrem Telefongespräch am Abend zuvor hatten sie angenommen, es werde so lange dauern, bis er sich eingerichtet hatte und am Badeplatz eingewiesen worden war, dass das Mittagessen bis dahin längst vorbei wäre und sie sich erst beim Abendessen würden begrüßen können.

Als er sie entdeckte, war er so überglücklich, dass er beinahe aufgeschrien hätte. Während der letzten drei Tage auf dem Sportplatz hatte er insgeheim gedacht, er werde sie nie wiedersehen. Von dem Augenblick an, in dem er die Stelle in Camp Indian Hill angenommen hatte, war er überzeugt gewesen, dass er sich mit Kinderlähmung anstecken und alles verlieren würde. Doch da war sie nun, eine junge Frau mit auffallend dunklen Augen und schwarzem, kurzem Haar, das sie zu Beginn des Sommers hatte schneiden lassen – es gab nur wenige echte Schwarzhaarige, und Marcia war eine von ihnen. Als er sie bei der Lehrerkonferenz im vergangenen Herbst, bei der die neuen Lehrkäfte vorgestellt wurden, zum ersten Mal gesehen hatte, war ihr Haar noch in herrlichen Wellen über ihre Schultern gefallen. An diesem ersten Nachmittag hatte sie ihm so gefallen, dass es eine Weile gedauert hatte, bis er sie nicht immer nur aus der Ferne bewundern musste, sondern ihr in die Augen blicken konnte. Dann hatte er gesehen, wie sie selbstbewusst an der Spitze ihrer mucksmäuschenstillen Klasse durch die Korridore zur Aula gegangen war, und sich gleich aufs Neue in sie verliebt. Dass die Kinder sie Miss Steinberg nannten, faszinierte ihn.

Jetzt war sie braungebrannt und trug ein weißes »Camp Indian Hill«-Polohemd, das die Schönheit ihrer dunklen Erscheinung unterstrich und besonders ihre Augen betonte, die ihm nicht nur dunkler, sondern auch runder als die anderer Frauen erschienen: Sie waren wie zwei Ziele für seine Träume, konzentrische Kreise in Dunkelbraun und Schwarz. Nie war sie ihm schöner vorgekommen, auch wenn sie nicht so sehr wie eine Betreuerin wirkte als vielmehr wie eine der Betreuten, und sie schien wenig gemeinsam zu haben mit der adrett und makellos gekleideten Junglehrerin, die sich mit zweiundzwanzig bereits betrug wie eine erfahrene Lehrkraft. Ihre mädchenhaft kleine Nase war mit einer weißen Salbe bestrichen, als hätte sie einen Sonnenbrand oder wäre mit Giftsumach in Berührung gekommen. Ja, das war hier oben die Hauptsorge, das war es, wovor man sich in erster Linie zu hüten hatte: Giftsumach!

In diesem Tumult war es unmöglich, Marcias Aufmerksamkeit zu erlangen. Mehrmals reckte er den Arm, doch obgleich er ihn mehrere Sekunden lang erhoben hielt und winkte, sah sie ihn nicht. Dann entdeckte er Marcias Schwestern Sheila und Phyllis, die Steinberg-Zwillinge, die nebeneinander einige Tische von dem Marcias entfernt saßen. Sie waren jetzt elf und sahen verblüffend anders aus als ihre ältere Schwester: sommersprossige Mädchen mit langen, mitleiderregend dünnen Beinen, krausem, rötlichem Haar und Nasen, die nach der ihres Vaters gerieten, und beide waren bereits fast so groß wie Marcia. Er winkte ihnen zu, aber sie unterhielten sich angeregt mit den Kameradinnen an ihrem Tisch und bemerkten ihn ebenfalls nicht. Mit ihrer Lebendigkeit, ihrer Intelligenz, ihrer Intensität, ja sogar mit ihrer langsam zutage tretenden Unbeholfenheit hatten Sheila und Phyllis sein Herz vom ersten Augenblick an erobert. Mit einem Aufwallen von Freude dachte er: »Ich werde diese beiden für den Rest meines Lebens kennen! Wir werden alle zur selben Familie gehören!« Und dann dachte er mit einemmal an Herbie und Alan, die gestorben waren, weil sie den Sommer in Newark verbracht hatten, und dann an Sheila und Phyllis, die etwa genauso alt waren, aber aufblühten, weil sie den Sommer in Camp Indian Hill verbrachten. Dann fielen ihm Jake und Dave ein, die irgendwo in Frankreich gegen die Deutschen kämpften, und zugleich dachte er daran, dass er sich in diesem harmlosen Paradies voller fröhlicher Kinder befand. Er staunte über die Vielfalt des Lebens und über die Machtlosigkeit des Einzelnen gegenüber den Umständen. Und wo kommt Gott bei all dem ins Spiel? Warum setzt Er den einen mit einem Gewehr in das von Nazis besetzte Frankreich und den anderen mit einem Teller Makkaroni mit Käse in den Speisepavillon von Camp Indian Hill? Warum lässt Er das eine Kind aus Weequahic den Sommer über im von Polio heimgesuchten Newark und schickt das andere in das sonnenbeschienene, leuchtende Refugium der Poconos? Er war ein Mensch, der die Lösung all seiner Probleme bisher stets in Sorgfalt, Verantwortungsbewusstsein und harter Arbeit gefunden hatte, doch nun war ihm weitgehend unerklärlich, warum alles so geschah, wie es geschah.

»Bucky!« Die Zwillinge hatten ihn entdeckt und riefen im allgemeinen Lärm seinen Namen. Sie standen an ihrem Tisch und winkten. »Bucky! Du bist hier! Hurra!«

Er winkte zurück, und die Mädchen deuteten aufgeregt auf den anderen Tisch, wo ihre Schwester saß.

Er nickte, zum Zeichen, dass er sie gesehen hatte, während die Zwillinge Marcia zuriefen: »Bucky ist hier!«

Marcia stand auf und sah sich um, und so erhob er sich ebenfalls. Jetzt endlich fiel ihr Blick auf ihn, und sie warf ihm eine Kusshand zu. Er war gerettet. Die Polio hatte ihn nicht besiegt.

Er verbrachte den Nachmittag am Badeplatz und sah zu, wie die Betreuer – siebzehnjährige Highschool-Schüler, die für die Einberufung noch nicht alt genug waren – mit den Jungen und Mädchen Schwimmen übten. Damit war er durch den Kurs für Schwimmen und Turmspringen, den er am Panzer College belegt hatte, gründlich vertraut. Es sah so aus, als hätte er ein gut geführtes Programm übernommen, und die Örtlichkeit erschien ihm perfekt: Alles hier wirkte sehr gepflegt, der Uferweg, die Stege und die Sprungtürme waren in ausgezeichnetem Zustand, und das Wasser war kristallklar. Ringsum ragten am Ufer des Sees steile, bewaldete Hügel auf. Die Hütten des Camps standen am Hang, die der Mädchen auf der einen Seite des Speisepavillons, die der Jungen auf der anderen. Einige hundert Meter vom Ufer entfernt befand sich eine bewaldete Insel, die wie ein langer Finger auf den Badeplatz zeigte; die schlanken Bäume, die dort wuchsen, sahen aus, als wäre ihre Rinde weiß. Dies war wohl die Insel, wo sie, wie Marcia gesagt hatte, ungestört sein würden.

Sie hatte ihm bei der Sekretärin in Mr. Blombacks Büro eine Nachricht hinterlassen. »Ich konnte meinen Augen kaum trauen, meinen zukünftigen Mann zu sehen. Ich habe bis um halb zehn Dienst. Wir treffen uns am Pavillon. Wie die Mädchen sagen: ›Du bist so süß!‹ M.«

Als die letzten Schwimmstunden beendet und die Jungen in ihre Hütten zurückgekehrt waren, um sich vor dem Abendessen und dem anschließenden Film umzuziehen, blieb Bucky allein am Seeufer zurück, beglückt von diesen ersten Stunden, die er mit unbekümmerten, wunderbar quirligen Kindern verbracht hatte. Er war die ganze Zeit im Wasser gewesen, hatte die Betreuer kennengelernt und mit den Jungen an ihrer Schwimm- und Atemtechnik, ihren Startsprüngen und Rollwenden gearbeitet, und so hatte er keine Gelegenheit gehabt, auf den Turm zu steigen und zu springen. Doch den ganzen Nachmittag über hatte er daran gedacht, als wäre er erst dann wirklich hier angekommen, wenn er seinen ersten Sprung gemacht hatte.

Er ging auf dem schmalen Steg zum Sprungturm, nahm die Brille ab und legte sie an den Fuß der Leiter. Dann kletterte er halb blind hinauf. Er fand den Weg zum Sprungbrett, doch sonst konnte er nicht viel erkennen. Die Hügel, der Wald, die weiße Insel, ja selbst der See waren verschwunden. Er stand allein auf dem Brett über dem See und konnte kaum etwas sehen. Die Luft war warm, sein Körper war warm, und er hörte nur das gelegentliche entfernte Klirren von Hufeisen, mit denen ein paar Jungen nach einem eisernen Pfahl warfen, und das Ploppen der Bälle auf dem Tennisplatz. Wenn er einatmete, war nichts von Secaucus, New Jersey, zu riechen. Er füllte seine Lungen mit der harmlosen frischen Luft der Poconos. Dann lief er die drei Schritte bis zum Ende des Bretts, hob ab und machte, jeden Zentimeter seines Körpers unter Kontrolle, einen perfekten Hechtsprung in das Wasser, das er erst im letzten Augenblick sah, bevor seine Arme die Oberfläche durchstießen und er in die kalte Reinheit des Sees eintauchte.

Um Viertel vor sechs ging er mit den Jungen aus seiner Hütte zum Pavillon, als sich aus einer Gruppe von Mädchen und Betreuerinnen, die sich von der anderen Seite näherten, zwei lösten und seinen Namen riefen. Es waren die Steinberg-Zwillinge, die einander so ähnlich sahen, dass er selbst aus der Nähe noch immer Schwierigkeiten hatte, sie auseinanderzuhalten. »Sheila! Phyllis«, sagte er, als sie sich übermütig in seine Arme warfen. »Ihr seht großartig aus. Wie braun ihr geworden seid! Und schon wieder gewachsen! Jetzt seid ihr so groß wie ich.« »Größer!«, riefen sie und schmiegten sich an ihn. »Nein, sagt das nicht«, rief Bucky lachend. »Bitte nicht jetzt schon größer!« »Führst du uns Sprünge vom Sprungturm vor?«, fragte eine von ihnen. »Mich hat niemand darum gebeten«, sagte Bucky. »*Wir* bitten dich! Eine Vorführung für das ganze Camp. All diese Dreh- und Rückwärtssprünge, die du immer machst.« Die Mädchen hatten ihn zu Beginn des Sommers springen sehen, vor dem Ausbruch der Epidemie und dem Beginn der Ferien, als die Steinbergs ihn für ein Wochenende in ihr Sommerhaus in Deal eingeladen hatten und alle zusammen in den Schwimmclub am Strand gegangen waren, in dem die Steinbergs Mitglieder waren. Es war das erste Mal gewesen, dass er bei ihnen übernachtet hatte, und sobald er seine Nervosität überwunden hatte, die daher rührte, dass er nicht wusste, worüber sich jemand aus seinen Verhältnissen mit so gebildeten Leuten unterhalten sollte, hatte er festgestellt, dass Marcias Mutter und Vater nicht freundlicher und herzlicher hätten sein können. Er erinnerte sich, wie schön er es gefunden hatte, den Zwillingen am niedrigen Sprungbrett zu zeigen, wie man die Balance hielt und was man beim Absprung zu beachten hatte. Anfangs waren sie noch ein bisschen ängstlich, doch am Ende des Nachmittags machten sie fehlerlose Kopfsprünge und waren so begeistert von ihm, dass sie ihn ihrer Schwester bei jeder Gelegenheit streitig machten. Und auch er war von ihnen eingenommen, von diesen beiden Mädchen, die Dr. Steinberg liebevoll als seine »eineiigen Funkensprüher« bezeichnete.

»Ihr habt mir gefehlt«, sagte er zu den Zwillingen. »Bleibst du für den Rest des Sommers?«, fragten sie. »Ja.« »Weil Mr. Schlanger zur Armee musste?« »Ja«, sagte er. »Das hat Marcia auch gesagt, aber zuerst haben wir ihr nicht geglaubt. Wir dachten, das hat sie geträumt.« »Wenn ich mich hier umsehe, denke ich, dass *ich* träume«, antwortete Bucky. »Wir sehen uns später«, fügte er hinzu, und die beiden küssten ihn, um ihre Kameradinnen zu beeindrucken, demonstrativ auf den Mund. Und als sie zum Eingang des Speisepavillons rannten, riefen sie ebenso demonstrativ: »Wir lieben dich, Bucky!«

Beim Essen saß er neben Donald Kaplow, dem Betreuer der Jungen in der Comanche-Hütte, einem Siebzehnjährigen, der sich für Leichtathletik begeisterte und bei Wettkämpfen für seine Highschool in Hazleton als Diskuswerfer antrat. Als Bucky ihm erzählte, er sei Speerwerfer, sagte Donald, er habe sein Sportzeug mitgebracht und übe, wann immer er Zeit habe, Diskuswerfen auf der großen Wiese hinter dem Mädchencamp, wo im August das große indianische Fest stattfinden werde. Er fragte Bucky, ob er vielleicht Lust habe, zuzusehen und ihm Tipps zu geben. »Ja, gern«, sagte Bucky.

»Ich hab Ihnen heute nachmittag zugesehen«, sagte Donald.

»Von der Veranda unserer Hütte kann man den Badeplatz sehen. Ich habe gesehen, wie Sie gesprungen sind. Nehmen Sie auch an Wettkämpfen teil?«

»Ich kann die einfachen Standardsprünge, aber an Wettkämpfen nehme ich nicht teil, nein.«

»Ich hab meine Sprünge nie richtig hingekriegt. Ich mache immer die lächerlichsten Fehler.«

»Vielleicht kann ich dir helfen«, sagte Bucky.

»Würden Sie das tun?«

»Wenn wir Zeit haben, gern.«

»Oh, gut! Danke.«

»Wir gehen sie der Reihe nach durch. Wahrscheinlich musst du nur ein paar Fehler korrigieren – der Rest kommt dann von allein.«

»Ich hoffe, ich stehle Ihnen nicht Ihre Freizeit«, sagte Donald.

»Nein, wenn ich Zeit habe, gehört sie dir.«

»Danke, Mr. Cantor.«

Als Bucky sich zur Mädchenseite des Speisepavillons umdrehte, um zu sehen, ob er Marcia entdecken könnte, fing er den Blick von einer ihrer Schwestern auf, die ihm heftig zuwinkte. Er lächelte und winkte zurück, und dabei wurde ihm bewusst, dass er seinen Kopf in nicht einmal einem einzigen

Tag von allen Gedanken an Polio gereinigt hatte – mit einer Ausnahme, vor einigen Minuten, als Donald ihn an Alan Michaels erinnert hatte. Donald war zwar fünf Jahre älter und bereits über eins achtzig groß: Es waren nette Jungen, schlank, mit breiten Schultern und langen, starken Beinen, und beide ließen sich gern von jemandem leiten, der ihnen helfen konnte, sich sportlich zu verbessern. Jungen wie Alan und Donald schienen instinktiv zu spüren, dass er ein hingebungsvoller Lehrer war, der ihnen die Bestätigung geben konnte, die sie brauchten, und fühlten sich schnell zu ihm hingezogen. Wäre Alan nicht gestorben, dann wäre er höchstwahrscheinlich zu einem Jungen wie Donald Kaplow herangewachsen. Wären Alan und Herbie Steinmark nicht gestorben, dann wäre Bucky höchstwahrscheinlich gar nicht hier gewesen, und zu Hause wäre nicht Unvorstellbares passiert.

Er und Marcia fuhren mit dem Kanu über den See zur weißen Insel – er hatte noch nie gepaddelt, doch Marcia zeigte es ihm, und nach einigen Schlägen hatte er den Bogen raus. Schweigend glitten sie durch die Dunkelheit, und als sie die Insel erreichten, die viel größer war, als Bucky gedacht hatte, steuerten sie die Rückseite an, wo sie das Kanu an Land zogen und bei einer kleinen Baumgruppe ablegten. Sie hatten kaum ein Wort gesprochen, seit sie sich vor dem Pavillon an den Händen genommen hatten, zum Badeplatz der Mädchen geeilt waren und das Kanu zu Wasser gelassen hatten.

Es waren kein Mond und keine Sterne zu sehen, kein Licht außer dem in den Hütten an der Hügelflanke. Zum Abendessen hatte es Roastbeef gegeben, und Donald Kaplow hatte mit dem gewaltigen Appetit eines Heranwachsenden eine Scheibe des saftigen roten Fleisches nach der anderen verschlungen. In der Gemeinschaftshalle wurde ein Film gezeigt, und daher war die Tonspur das einzige, was vom Camp herüberdrang. In der Nähe hörten sie ein Froschorchester, während aus weiter Ferne alle paar Minuten das langgezogene dumpfe Rumpeln eines Sommergewitters erklang. Dieses dramatische Donnern machte die Tatsache, dass sie beide ganz allein und mit nichts als Khakishorts und Polohemden bekleidet auf der bewaldeten Insel waren, nicht weniger aufregend, und ebensowenig dämpfte es den Reiz ihrer spärlichen Bekleidung. Sie standen mit nackten Armen und Beinen auf einer kleinen Lichtung, so dicht beieinander, dass er Marcia trotz der Dunkelheit deutlich sehen konnte. Sie war einige Abende zuvor allein mit dem Kanu hierher gefahren und hatte den Ort ihres Rendezvous vorbereitet, indem sie mit den Händen das Laub beiseitegeräumt hatte, das seit dem vergangenen Herbst dort lag.

Ringsum standen dicht an dicht Bäume. Sie waren nicht ganz weiß, wie er gedacht hatte, sondern hatten schwarze horizontale Narben, als hätte man sie mit einer Peitsche bearbeitet. Einige waren gebeugt oder gebrochen, manche neigten sich fast bis zum Boden, andere waren halb durchtrennt oder ganz zerbrochen, ausgehöhlt von einer Krankheit und vom Sturm verwüstet. Die unversehrten Bäume waren so elegant und schlank, dass er sie mit zwei Händen ebenso leicht hätte umfassen können wie einen von Marcias Oberschenkeln. Die Wipfel und Äste der Bäume reckten sich über die Lichtung und schufen ein durchbrochenes Gewölbe aus gezackten Blättern und zarten, gebogenen Zweigen. Es war ein ideales Versteck, eine Abgeschiedenheit, von der sie nur hatten träumen können, als sie auf der Vorderveranda der Steinbergs gesessen und sich bemüht hatten, die leicht zu identifizierenden Geräusche zu unterdrücken, die ihre Erregung, Lust und Erfüllung verrieten.

»Wie heißen diese Bäume?«, fragte er und streckte die Hand aus, um einen davon zu berühren. Er war mit einemmal wieder so unerklärlich schüchtern wie damals, bei der ersten Lehrerkonferenz, als er sich ganz hölzern bewegt und einen lächerlich unnatürlichen Gesichtsausdruck gehabt hatte. Sie hatte ihn überrascht, indem sie ihre kleine Hand ausgestreckt hatte, und er war so verwirrt gewesen, dass er gar nicht gewusst hatte, was er damit anfangen sollte – ihr Zauber war so, dass er nicht einmal gewusst hatte, wie er sie ansprechen sollte. Für einen, dessen Großvater ihn zu der Überzeugung erzogen hatte, dass es nichts gab, was über seine Kräfte ging, schon gar nicht die Begrüßung einer jungen Frau, die vermutlich kaum hundert Pfund wog, war es ein enorm peinliches Ereignis.

»Birken«, sagte sie. »Es sind weiße Birken – Silberbirken.«

»Man kann die Borke abmachen.« Ganz leicht schälte er ein großes Stück der dünnen silbrigen Borke ab und zeigte es ihr, dort im Dunkeln, als wären sie Kinder auf einer Exkursion.

»Die Indianer haben aus Birkenrinde Kanus gebaut«, sagte sie.

»Natürlich«, sagte er, »Birkenrindenkanus. Aber ich wusste nicht, wie Birken aussehen.«

Sie schwiegen und lauschten auf das Murmeln der Filmstimmen, das Rumpeln des Gewitters in der Ferne und das Quaken der Frösche in der Nähe. Etwas schlug rumpelnd gegen einen der Anlegestege, und sein Herz schlug schneller, als ihm der Gedanke kam, es könnte Mr. Blomback sein, der sie in einem anderen Kanu verfolgte.

»Warum gibt es hier keine Vögel?«, fragte er sie schließlich.

»Die gibt es, aber nachts singen sie nicht.«

»Singen sie oder singen sie nicht?«

»Ach, Bucky«, flüsterte sie in flehendem Ton. »Wie lange soll das denn so weitergehen? Zieh mich aus. Bitte. Jetzt.«

Nach den Wochen der Trennung brauchte er sie, damit sie es ihm sagte. Er brauchte diese intelligente junge Frau, damit sie ihm eigentlich alles von der Welt jenseits von Sporthallen und Sportplätzen erzählte. Er brauchte ihre gesamte Familie, damit diese ihm sagte, wie er ein Leben als Erwachsener zu führen hatte, auf eine Weise, wie es noch niemand, nicht einmal sein Großvater, geführt hatte.

Sogleich öffnete er den Gürtel und die Knöpfe ihrer Shorts, so dass diese zu Boden glitten. Dann hob Marcia wie ein Kind die Arme, und er nahm ihr erst die Taschenlampe aus der Hand und schob ihr dann das Polohemd über den Kopf. Sie griff nach hinten und löste den Verschluss ihres BHs, während er niederkniete und, mit dem bizarren, etwas beschämenden Gefühl, sein Leben nur für diesen Augenblick gelebt zu haben, ihren Slip an den Beinen hinunter und über ihre Füße streifte.

»Meine Socken«, sagte sie. Sie war bereits aus ihren Schuhen geschlüpft. Er zog ihr die Socken aus und steckte sie in die Schuhe. Die Socken waren makellos weiß und rochen, wie ihre übrigen Kleider, leicht nach dem Waschmittel, das man in Camp Indian Hill benutzte.

Sie war zierlich und hatte vollkommen geformte schlanke Beine, dünne Arme, zerbrechlich wirkende Handgelenke und winzige, hoch sitzende Brüste mit weichen, blassen, flachen Brustwarzen. Dieser zarte Elfenkörper wirkte so verletzlich wie der eines Kindes. Sie sah nicht gerade aus wie jemand, der mit der körperlichen Vereinigung vertraut war, und das kam der Wahrheit nahe. An einem Wochenende im Spätherbst, als der Rest der Familie in Deal gewesen war, hatte er sie an einem Samstag nachmittag gegen vier Uhr in ihrem verdunkelten Zimmer in der Goldsmith Avenue endlich entjungfert – und seine eigene Jungfernschaft verloren –, und danach hatte sie schüchtern geflüstert: »Bucky, bring mir Sex bei«, als wäre sie die Unerfahrenere. Sie lagen stundenlang auf dem Bett – *ihrem* Bett, dachte er, dem Bett mit den vier geschnitzten Pfosten, dem gefältelten Behang und dem Baldachin mit Blumenmuster, in dem sie seit ihrer Kindheit schlief –, und sie sagte ihm mit leiser, vertraulicher Stimme, als wären außer ihnen noch andere im Haus, was für ein unglaubliches Glück sie habe, nicht nur ihre wunderbare Familie, sondern auch ihn lieben zu dürfen. Dann erzählte er ihr von seiner Kindheit, mehr als je zuvor, und bei ihr fiel es ihm leichter, sich auszudrücken, als bei jedem anderen Mädchen, bei jedem anderen *Menschen* vor ihr. Er enthüllte ihr all das, was er sonst für sich behielt, alles, was ihn glücklich oder traurig machte. »Ich bin der Sohn eines Diebes«, gestand er und stellte fest, dass er diese Worte ohne eine Spur von Scham aussprechen konnte. »Er war im Gefängnis, weil er Geld gestohlen hat. Er ist vorbestraft. Ich habe ihn nie gesehen. Ich weiß nicht, wo er lebt, ob er überhaupt lebt. Wenn er mich großgezogen hätte – wer weiß, ob ich nicht ebenfalls ein Dieb geworden wäre? Allein, ohne meine Großeltern, in einem Viertel wie dem unseren, wäre es wohl ziemlich schwer gewesen, nicht auf die schiefe Bahn zu geraten.«

Sie lagen einander zugewandt auf dem Himmelbett und erzählten Geschichten, bis es dämmerte, bis es dunkel war, bis beide praktisch alles gesagt und sich einander so vollkommen offenbart hatten, wie sie nur konnten. Und dann, als wäre er noch nicht verliebt genug, flüsterte Marcia ihm einen Satz ins Ohr, den sie gerade gelernt hatte: »Das ist doch die einzige Art, miteinander zu sprechen, stimmt's?«

»Du«, flüsterte Marcia, als er sie ausgezogen hatte. »Jetzt du.«

Rasch zog er seine Kleider aus und legte sie zu ihren.

»Lass mich dich ansehen. Ach, Gott sei Dank!«, sagte sie und brach in Tränen aus. Er nahm sie rasch in seine Arme, doch das half nicht. Sie schluchzte haltlos.

»Was ist?«, fragte er. »Was ist los?«

»Ich dachte, du würdest sterben!«, rief sie. »Ich dachte, du würdest gelähmt sein und sterben! Ich hatte solche Angst, dass ich nicht schlafen konnte. Sooft es ging, bin ich hierher gefahren und habe gebetet, dass du gesund bleibst. Ich habe noch nie im Leben so inbrünstig für jemanden gebetet. ›Bitte beschütz Bucky!‹ Ich weine, weil ich so glücklich bin! Du bist hier, du bist nicht krank geworden! Ach, Bucky, halt mich, halt mich ganz fest! Du bist in Sicherheit!«

Als sie sich wieder anzogen, um zurück zum Camp zu fahren, sagte er wider besseres Wissen etwas, das er lieber hätte für sich behalten sollen. Er hätte berücksichtigen sollen, wie sehr sie sich gesorgt hatte und wie erleichtert sie jetzt war, er hätte die Worte, die sie gebraucht hatte, sogleich vergessen sollen. Er hätte keine Bemerkung darüber machen sollen, dass sie zu einem Gott gebetet hatte, den er ablehnte. Er wusste, es war nicht vernünftig, diesen wichtigen Tag damit zu beschließen, dass er auf ein so heikles Thema zurückkam, besonders da es das erste Mal war, dass er sie so hatte sprechen hören, und es vielleicht auch das letzte Mal bleiben würde. Es war ein Thema, das viel zu ernst für diesen Augenblick und nun, da er hier war, auch unwichtig war. Doch er hatte in Newark zuviel durchgemacht, um es nicht auszusprechen – und Newark und die Seuche lagen erst zwölf Stunden hinter ihm.

»Glaubst du wirklich, dass Gott deine Gebete erhört hat?«, fragte er sie.

»Ich kann es eigentlich nicht wissen. Aber du bist hier, nicht? Du bist gesund, oder?«

»Das beweist gar nichts«, sagte er. »Warum hat Gott nicht die Gebete von Alan Michaels' Eltern erhört? Sie müssen auch gebetet haben. Herbie Steinmarks Eltern müssen gebetet haben. Es sind gute Menschen. Gute Juden. Warum hat Gott nicht eingegriffen und ihre Jungen gerettet?«

»Ich weiß es nicht«, sagte Marcia hilflos.

»Ich auch nicht. Ich weiß nicht, wieso Gott die Kinderlähmung überhaupt erschaffen hat. Was wollte Er damit beweisen? Dass wir auf der Erde Menschen brauchen, die verkrüppelt sind?«

»Gott hat die Kinderlähmung nicht erschaffen«, sagte sie.

»Du glaubst, er hat es nicht getan?«

»Ja«, sagte sie scharf. »Du nicht?«

»Aber hat Gott nicht alles erschaffen?«

»Das ist nicht dasselbe.«

»Warum nicht?«

»Warum streitest du dich mit mir, Bucky? Warum streiten wir überhaupt? Ich habe nur gesagt, dass ich zu Gott gebetet habe, weil ich so große Angst um dich hatte. Und jetzt bist du hier, und ich bin vollkommen glücklich. Und daraus hast du einen Streit gemacht. Warum willst du dich mit mir streiten, wenn wir uns wochenlang nicht gesehen haben?«

»Ich will mich nicht mit dir streiten«, sagte er.

»Dann tu es auch nicht«, sagte sie, mehr verwirrt als wütend.

Die ganze Zeit hatte es regelmäßig gedonnert, und die Blitze flackerten jetzt näher.

»Wir sollten zurückfahren«, sagte sie, »solange das Gewitter noch eine Weile entfernt ist.«

»Aber wie kann ein Jude zu einem Gott beten, der einem Viertel mit Tausenden und Abertausenden von Juden einen solchen Fluch auferlegt hat?«

»Ich weiß es nicht! Worauf willst du eigentlich hinaus?«

Er fürchtete sich plötzlich, es ihr zu sagen, er fürchtete, wenn er weiter darauf beharrte, ihr begreiflich zu machen, was er selbst begriffen hatte, würde er sie und ihre Familie verlieren. Sie hatten sich nie gestritten. Nie war er bei ihr, seiner ihn liebenden Marcia, auf irgendeine Art von Widerspruch gestoßen – ebenso wenig wie sie bei ihm übrigens. Er war im Begriff, ihre Liebe zu zerstören, und zügelte sich gerade noch rechtzeitig.

Gemeinsam zogen sie das Kanu ins Wasser, und im nächsten Augenblick paddelten sie schweigend und eilig zurück zum Camp und erreichten es, bevor der Wolkenbruch begann.

Donald Kaplow und die anderen Jungen schliefen, als Bucky in die Comanche-Hütte trat und durch den schmalen Mittelgang zwischen den Spinden ging. So leise wie möglich schlüpfte er in den Pyjama, verstaute sein Zeug und legte sich in das Bett, das er nach seiner Ankunft mit Irv Schlangers Laken bezogen hatte. Marcia und er hatten sich nicht unbeschwert voneinander verabschiedet. Er spürte noch immer die Spannung, die zwischen ihnen gewesen war, als sie sich am Steg des Mädchencamps eilig geküsst hatten und in verschiedene Richtungen zu ihren Hütten gegangen waren, jeder in der Sorge, ihrem ersten Streit könnte etwas anderes zugrundeliegen als eine Meinungsverschiedenheit über Gott.

Der Regen begann auf das Dach zu prasseln. Bucky lag wach im Bett und dachte an Dave und Jake, die in Frankreich in einem Krieg kämpften, von dem er ausgeschlossen war. Er dachte an Irv Schlanger, der in den Krieg gezogen war und gestern Nacht noch in diesem Bett geschlafen hatte. Immer wieder schien es, als wären alle außer ihm im Krieg. Ein anderer hätte es als Glücksfall empfunden, dem Gefecht und dem Blutvergießen zu entgehen, doch für ihn war es ein Makel. Er war von seinem Großvater zu einem furchtlosen Kämpfer erzogen worden, er war aufgewachsen mit dem Anspruch, ein überaus verantwortungsbewusster Mann zu sein, jederzeit bereit und imstande, für das Rechte einzutreten, und jetzt, da der Kampf des Jahrhunderts tobte, ein weltweiter Kampf zwischen Gut und Böse, konnte er nicht einmal den kleinsten Beitrag leisten.

Und doch – es gab einen Krieg, in dem er kämpfen konnte, und er wurde auf dem Schlachtfeld seines Sportplatzes geführt. Er war aus diesem Krieg desertiert und zu Marcia geflohen, in die Sicherheit von Camp Indian Hill. Wenn er schon nicht in Europa oder im Pazifik kämpfen konnte, dann hätte er wenigstens in Newark bleiben und seinen gefährdeten Jungen in ihrer Angst vor der Kinderlähmung beistehen können.

Statt dessen war er in diesem sicheren Hafen; statt dessen hatte er beschlossen, Newark zu verlassen und in ein Sommerlager zu fahren, das unzugänglich in den Bergen lag, abgeschieden von der Welt, am Ende einer schmalen, unasphaltierten Straße, in dichtem Wald und daher auch aus der Luft nicht zu entdecken – und was tat er hier? Er spielte mit Kindern. Und war glücklich dabei! Und je glücklicher er war, desto demütigender war es.

Trotz des Regens, der auf das Dach trommelte und die Spielfelder und Wege in Matsch verwandelte, trotz des Donnergrollens, das von den Bergen widerhallte, und der Blitze, die ringsum niederzuckten, regte sich keiner der Jungen in den zwei Bettenreihen. Diese schlichte, gemütliche Hütte mit ihren Schulwimpeln und bemalten Kanupaddeln, ihren Spinden voller Aufkleber und schmalen Betten, unter denen Schuhe, Turnschuhe und Sandalen ordentlich aufgereiht standen, ihren ruhig schlafenden, kräftigen und gesunden Jungen schien ihm vom Krieg – von *seinem* Krieg – so weit entfernt wie nur möglich. Er hatte die unschuldige Liebe seiner beiden zukünftigen Schwägerinnen, er hatte die leidenschaftliche Liebe seiner zukünftigen Frau, er hatte einen Jungen wie Donald Kaplow, der sich von ihm Anleitung und Führung erhoffte, er hatte einen herrlichen Badeplatz zu beaufsichtigen und Dutzende von lebhaften Jungen, denen er etwas beibringen konnte, und er hatte den Sprungturm, von dem er abends in die Stille und den Frieden würde springen können. Hier war er vor dem in Newark umgehenden Mörder so sicher, wie er es nur sein konnte. Hier hatte er alles, was Dave und Jake nicht hatten, was die Jungen auf dem Sportplatz und alle anderen in Newark nicht hatten. Das Einzige, was er nicht mehr hatte, war ein reines Gewissen.

Er würde zurückkehren müssen. Morgen würde er mit dem Zug von Stroudsburg nach Newark fahren, sich dort sofort mit O'Gara in Verbindung setzen und ihm sagen, er werde am Montag wieder auf dem Sportplatz sein. Weil es wegen der Wehrpflicht ohnehin nur wenige gab, die für diese Aufgabe in Frage kamen, würde es kein Problem sein, seinen Job zurückzubekommen. Alles in allem würde er nur eineinhalb Tage fort gewesen sein, und niemand konnte behaupten, eineinhalb Tage in den Poconos seien eine Pflichtverletzung oder Desertion.

Aber würde Marcia seine Rückkehr nach Newark nicht als einen Schlag, als eine Strafe verstehen, besonders da ihr wunderschöner Abend so unbefriedigend geendet hatte? Was würde aus ihnen werden, wenn er morgen abrupt seine Sachen packte und verschwand? Er hatte vorgehabt, nächste Woche in seiner Freizeit in die Stadt zu fahren und von den fünfzig Dollar, die er von dem Sparkonto für den Herd genommen hatte, einen Verlobungsring für sie zu kaufen. Aber daran durfte er jetzt nicht denken. Nicht an den Ring, nicht daran, dass Marcia seine Motive missverstehen könnte, dass er Mr. Blomback in Schwierigkeiten brachte, dass er Donald Kaplow und Marcias Schwestern enttäuschte. Er hatte einen schweren Fehler gemacht. Er hatte überstürzt der Angst nachgegeben, er hatte sich von ihr beherrschen lassen und so nicht nur die Jungen, sondern auch sich selbst verraten – und dabei hätte er nur bleiben und seinen Job tun müssen. Marcias liebevoller Versuch, ihn aus Newark zu retten, hatte dazu geführt, dass er sich törichterweise untreu geworden war. Die Jungen hier kamen auch ohne ihn gut zurecht. Hier gab es keinen Krieg. Hier wurde er *nicht* gebraucht.

Gerade als es schien, der Wolkenbruch könnte nicht mehr stärker werden, steigerte sich der Regen draußen zu einem verblüffenden Crescendo. Er strömte über das geneigte Dach der Hütte, überflutete die Dachrinnen und stürzte wie ein Wasserfall vor den Fenstern hinunter. Angenommen, in Newark regnete es wie hier, angenommen, es hörte tagelang nicht auf: Millionen und Abermillionen von Tropfen, die auf die Häuser, Straßen und Gassen niedergingen – würde das die Polio davonspülen? Aber warum spekulieren über etwas, das nicht eintrat und nie eintreten würde? Er musste nach Hause zurückkehren! Am liebsten wäre er sofort aufgesprungen und hätte alles in seine Tasche gepackt, um morgen früh den ersten Zug zu nehmen. Aber er wollte die Jungen nicht wecken oder ihnen den Eindruck vermitteln, dass er das Camp in Panik verließ. In Panik war er hierher gekommen, und nun, da er seinen Mut wiedergefunden hatte, verließ er das Lager, um sich einem Kampf zu stellen, dessen Realität nicht zu bezweifeln war, dessen Gefahren jedoch nichts waren im Vergleich zu denen, die Dave und Jake auf sich nahmen, wenn sie den alliierten Brückenkopf im von Nazis besetzten Frankreich vergrößerten.

Und was Gott betraf, so war es in einem Paradies wie Indian Hill leicht, freundlich über Ihn zu denken; in Newark – oder in Europa, im Pazifik – war das im Sommer 1944 etwas ganz anderes.

Am nächsten Morgen war die Nässe verschwunden, und die Sonne schien zu strahlend, der frische Wind war zu belebend, die Aufregung der Jungen, die auch diesen neuen Tag ohne Furcht begannen, zu verheißungsvoll, dass er sich nicht vorstellen konnte, nie wieder zwischen den vier mit den Wimpeln

von einem Dutzend Schulen tapezierten Wänden dieser Blockhütte zu erwachen. Und der Gedanke, Marcia zurückzulassen
und ihre gemeinsame Zukunft aufs Spiel zu setzen, war zu
schrecklich. Der Blick von der Veranda der Hütte auf den glat-
ten, schimmernden See, in den er am Ende seines ersten Tages so tief eingetaucht war, und die ferne Insel voller weißer
Bäume, zu der sie mit dem Kanu gefahren waren, um allein zu
sein und unter einem Baldachin aus Birkenzweigen miteinander zu schlafen – es war unmöglich, sich all dessen nach nur
einem einzigen Tag zu berauben. Selbst der Anblick der durch-
nässten Dielen am Eingang der Hütte, wo der Wind die Re-
gentropfen über die Veranda und durch die Fliegentür ge-
peitscht hatte, selbst diese harmlosen Spuren des nächtlichen
Gewitters bestärkten ihn irgendwie in seinem Entschluss zu
bleiben. Unter einem Himmel, den der Wolkenbruch so blank-
geputzt hatte, dass er glatt wie eine Eierschale wirkte, flogen
Vögel hin und her, und wie hätte er sich, inmitten dieser aufge-
regten Jungen, anders entscheiden können? Er war kein Arzt.
Er war kein Krankenpfleger. Er konnte nicht zu einer Tragödie zurückkehren, deren Verlauf er nicht ändern konnte.

Vergiss Gott, sagte er sich. Seit wann gehört Gott zu deinen Aufgaben? Und dann tat er, was zu seinen Aufgaben gehörte, er ging mit den Jungen zum Frühstück und sog dabei
die von allem Schmutz gereinigte Bergluft ein. Als sie über
den grasbewachsenen Hang stapften, schien der unter ihren
schmatzenden Schritten aufsteigende feuchte, würzige und
für ihn ganz neue Geruch der nassen Erde wie eine Bestätigung, dass er mit dem Leben im Reinen war. Er hatte mit seinen Großeltern stets in einer Stadtwohnung gelebt. Er hatte
nie zuvor die Wärme und Frische eines ländlichen Julimorgens

auf der Haut gespürt, nie die Freude empfunden, die dieser weckte. Es war so erfrischend, den Tag in dieser offenen Weite zu verbringen, es war so betörend, Marcia in der Finsternis einer unbewohnten Insel zu entkleiden, weit entfernt von allen anderen, es war so belebend, bei Blitz und Donner einzuschlafen und zu einem Tag zu erwachen, der aussah wie der erste, sonnenbeschienene Tag der Menschheit. Ich bin hier, dachte er, ich bin glücklich – und das stimmte. Selbst das schmatzende Geräusch seiner Schritte auf dem weichen, nassen Gras munterte ihn auf. Es ist alles hier! Frieden! Liebe! Gesundheit! Schönheit! Kinder! Arbeit! Was blieb ihm anderes übrig als zu bleiben? Ja, alles, was er sah, roch und hörte, erschien ihm wie ein Vorgeschmack seines zukünftigen Glücks.

Später am Tag kam es zu einem ungewöhnlichen Ereignis, wie es in der Geschichte des Lagers noch nie stattgefunden hatte. Ein riesiger Schmetterlingsschwarm senkte sich über Camp Indian Hill. Etwa eine Stunde lang flatterten Schmetterlinge über die Spielfelder, saßen dicht an dicht auf den oberen Kanten der Tennisnetze und stoben von den Gänsedisteln auf, die am Rand des Geländes wuchsen. Waren sie von Gewitterböen hierher verweht worden? Waren sie auf ihrem Zug nach Süden vom Weg abgekommen? Aber warum hätten sie so früh im Sommer nach Süden ziehen sollen? Niemand wusste es, nicht mal der für Naturkunde zuständige Betreuer. Die Schmetterlinge erschienen massenweise, als wollten sie jeden Grashalm, jeden Busch und Baum, jede Ranke, jeden Farnwedel, jede Blüte untersuchen, bevor sie sich wieder sammelten und den Zug zu ihrem unbekannten Ziel fortsetzten.

Bucky wärmte sich auf dem Steg in der Sonne auf und beobachtete die sonnenbeschienenen Gesichter im Wasser unter ihm, als einer der Schmetterlinge auf seiner nackten Schulter landete und an seiner Haut zu saugen begann. Es war wie ein Wunder! Das Tier nahm die Mineralien in seinem Schweiß auf! Phantastisch! Bucky blieb reglos stehen und betrachtete den Schmetterling aus dem Augenwinkel, bis dieser schließlich weiterflog und verschwand. Als er den Jungen in der Hütte später davon erzählte, sagte er, der Schmetterling habe ausgesehen, als wäre er von Indianern entworfen und bemalt worden: Die geäderten Flügel seien schwarz und orangerot gemustert und mit winzigen weißen Flecken übersät gewesen. Er sagte ihnen nicht, wie verwundert er gewesen war, dass dieser herrliche Schmetterling sich auf seiner Schulter niedergelassen hatte, und dass er sich gestattete, halb daran zu glauben, dass diese Tatsache ein gutes Omen war und von kommenden Tagen der Fülle kündete.

Niemand hatte Angst vor den Schmetterlingen, die das Lager bedeckten und als farbige Wolke dahinflogen. Vielmehr lächelten alle über das lautlose, lebhafte Flirren; die Kinder wie die Betreuer waren entzückt, von der schwerelosen Zartheit dieser zahllosen bunten Flügel umflattert zu werden. Einige kamen aus den Hütten gerannt und schwenkten Schmetterlingsnetze, die sie im Werkunterricht hergestellt hatten, und die Jüngsten rannten den taumelnden Schmetterlingen nach und versuchten, sie mit bloßen Händen zu fangen. Alle freuten sich, denn alle wussten, dass Schmetterlinge nicht stachen oder gefährliche Krankheiten verbreiteten, sondern nur Pollen auf Blüten übertrugen, so dass Pflanzen sich vermehrten. Was hätte heilsamer sein können?

Ja, der Sportplatz in Newark lag hinter ihm. Er würde Indian Hill nicht verlassen. Dort würde er ein Opfer der Polio werden, hier dagegen war er Futter für Schmetterlinge. Wankelmut – eine ihm bis dahin unbekannte Schwäche – würde das sichere Wissen um das, was getan werden musste, nicht mehr untergraben.

Zu diesem Zeitpunkt waren die Anfänger im Jungencamp schon über das Stadium hinaus, wo sie sich, nach Luft schnappend, mühsam über Wasser hielten und Toter Mann übten, und konnten mindestens paddeln wie Hunde, doch viele waren auch schon weiter und beherrschten die Grundzüge des Kraulens und Rückenschwimmens, und einige sprangen auch schon von einem der Stege ins tiefe Wasser und schwammen sechs, sieben Meter bis zum Ufer. Bucky standen fünf Betreuer zur Verfügung. Obwohl sie sehr gut mit Jungen aller Altersstufen umgehen konnten und das Schwimmprogramm unter seiner Aufsicht reibungslos abwickelten, war er selbst vom ersten Tag an oft im Wasser, um sich denen zu widmen, die von den Betreuern heimlich als »Senkblei« bezeichnet wurden: den kleinen Jungen, die am wenigsten Selbstvertrauen besaßen und die langsamsten Fortschritte machten und denen es an natürlichem Schwung zu fehlen schien. Er ging hinaus auf den Steg zum Sprungturm, wo ein Betreuer ein paar älteren Jungen verschiedene Sprungtechniken beibrachte, er verbrachte ein wenig Zeit mit Jungen, die sich große Mühe gaben, ihren Schmetterlingsschlag zu verbessern, aber immer wieder kehrte er zu den Kleineren zurück und übte mit ihnen im flachen Uferbereich Kraulen, Brust- und Rückenschwimmen, wobei er ihnen stets mit einem Wort oder einer Berührung zeigte, dass er da war und sie keine Angst zu haben brauchten, sie könnten sich verschlucken oder gar ertrinken. Als der Tag am Badeplatz zu Ende ging, dachte er dasselbe, was er zu Beginn seiner Ausbildung am Panzer College gedacht hatte: dass es für einen Mann keine befriedigendere Arbeit geben konnte, als einem Jungen, der einen Sport erlernte, nicht nur die grundlegenden Techniken zu zeigen, sondern ihm auch die Sicherheit und die Zuversicht zu vermitteln, dass alles gut sein würde, und ihm zu helfen, die Angst vor einer neuen Erfahrung zu überwinden, sei es beim Schwimmen, beim Boxen oder beim Baseball.

Es war ein herrlicher Tag, und weitere würden kommen. Vor dem Abendessen würde er auf den Stufen zum Speisepavillon seine nassen Küsse von den Zwillingen bekommen, die dort auf ihn warten und bei seinem Anblick »Kuss! Kuss!« rufen würden, und nach dem Essen würde er, das hatte er versprochen, mit Donald Kaplow Sprünge üben. Und dann, um halb zehn, würde er mit seiner zukünftigen Frau zu der dunklen Insel fahren. Sie hatte ihm eine weitere Nachricht in Mr. Blombacks Büro hinterlassen: »Mehr. Treffen wie gestern. M.« Er hatte schon mit Carl besprochen, dass dieser ihn später in der Woche nach Stroudsburg fahren würde, damit er den Verlobungsring für Marcia kaufen konnte.

Etwa eine halbe Stunde nach dem Abendessen, als die Jungen aus ihrer Hütte sich auf dem Spielfeld am Fahnenmast zu einer improvisierten Partie Baseball zusammengefunden hatten, gingen er und Donald zum Steg, wo der junge Betreuer ihm seine Sprünge vorführen wollte. Donald machte erst einen Kopfsprung vorwärts, dann einen rückwärts und schließlich einen Hechtsprung vorwärts.

»Gut«, sagte Bucky. »Ich verstehe nicht, wieso du denkst, da wäre irgendwas nicht in Ordnung.«

Donald lächelte, dankbar für das Kompliment, fragte aber dennoch: »Ist der Schwung gut? Und die Sprungtechnik auch?«

»Auf jeden Fall«, sagte Bucky. »Du weißt, was du tun willst, und tust es. Das war ein vorbildlicher gestreckter Salto: Erst klappt der Oberkörper nach vorn, und die Beine bleiben nach unten gestreckt. Dann klappen die Beine zurück, bis sie senkrecht nach oben gestreckt sind, und Oberkörper und Arme bleiben, wie sie sind. Perfekt. Kannst du auch einen Salto rückwärts? Lass mal sehen. Pass auf das Sprungbrett auf.«

Donald war als Turmspringer ein Naturtalent und zeigte nicht einen der Fehler, die Bucky bei einem Salto rückwärts erwartet hätte. Als Donald nach diesem athletischen Sprung auftauchte und sich die nassen Haare aus der Stirn strich, rief Bucky ihm zu: »Schöne, kraftvolle Drehung. Gute Spannung. Timing und Balance stimmen auch. Alles in allem ein hervorragender Sprung.«

Donald kletterte auf den Steg und trocknete sich mit dem Handtuch ab, das Bucky ihm reichte. »Ist es auch nicht zu kühl für dich?«, fragte Bucky. »Frierst du?«

»Nein, überhaupt nicht«, sagte Donald.

Die Abendsonne stand noch am blauen Himmel, doch die Temperatur war seit dem Abendessen um gut fünf Grad gesunken. Es war kaum zu glauben, dass er und die Jungen auf dem Sportplatz in Newark vor wenigen Tagen noch unter der Hitze gelitten hatten, eben jener Hitze, welche die Seuche, die seine Stadt heimsuchte und alle ganz verrückt machte, ausgebrütet hatte. Es war kaum zu glauben, wie sich hier oben alles, wirklich alles zum Besseren gewendet hatte. Wenn doch nur auch in Newark die Temperatur so sinken und für den

Rest des Juli und den August in angenehmeren Bereichen bleiben könnte!

»Du zitterst ein bisschen«, sagte Bucky. »Wie wär's, wenn wir morgen um dieselbe Zeit weitermachen?«

»Nur noch den Salto vorwärts, vom Ende des Sprungbretts«, bat Donald, ging zum Ende des Sprungbretts und stellte sich in Position: die Arme gewinkelt nach vorn gestreckt, die Knie leicht gebeugt. »Der Sprung ist nicht gerade meine Spezialität«, sagte er.

»Konzentriere dich«, sagte Bucky. »Spring aufwärts, und dann krümm dich zusammen.«

Donald nahm Schwung, sprang hoch, krümmte sich zusammen, rollte vornüber und tauchte mit den Füßen voran kerzengerade ins Wasser ein.

»Hab ich's verpatzt?«, fragte er, als er aufgetaucht war. Er musste die Augen gegen die Sonne und ihren blendenden Widerschein auf dem Wasser beschatten, um Bucky erkennen zu können.

»Überhaupt nicht. Für einen Augenblick haben deine Hände den Kontakt zu den Beinen verloren, aber das macht gar nichts.«

»Nicht? Ich versuch's nochmal«, sagte Donald und schwamm mit kräftigen Zügen zur Leiter. »Und diesmal mach ich's richtig.«

»Na gut, Ace«, sagte Bucky lachend und gab Donald den Spitznamen, den er selbst als kleiner Junge wegen seiner spitzen Ohren bekommen hatte, bevor sein Großvater ihn für immer umbenannt hatte. »Ein letzter Salto vorwärts, und dann gehen wir rein.«

Diesmal nahm Donald Anlauf, ließ das Brett einmal federn

und machte einen perfekten Sprung. Seine Hände bewegten sich fehlerfrei von den Schienbeinen zu den Seiten der Knie und dann, bei der Streckung, zu den Oberschenkeln.

»Großartig!«, sagte Bucky, als Donald auftauchte. »Gute Höhe, gute Drehung. Schön gehalten bis zum Schluss. Was sollen das für lächerliche Fehler sein, von denen du mir erzählt hast? Du machst ja gar keine.«

»Aber Mr. Cantor«, rief Donald aufgeregt und kletterte auf den Steg, »ich muss Ihnen doch noch den Hechtsprung und den Kopfsprung mit halber Schraube zeigen. Danach können wir reingehen. Ich will nur noch die anderen Sprünge machen. Mir ist nicht kühl, wirklich.«

»Aber mir ist kühl«, sagte Bucky, »und ich bin trocken und habe ein Hemd an.«

»Tja«, erwiderte Donald, »das ist eben der Unterschied zwischen siebzehn und vierundzwanzig.«

»Dreiundzwanzig«, sagte Bucky und lachte abermals. Er freute sich über Donald und seine Beharrlichkeit und auch über die Tatsache, dass Marcia und ihre Schwestern in der Nähe waren. Es war fast, als wären sie bereits eine Familie. Als wäre der nur sechs Jahre jüngere Donald der Sohn von ihm und Marcia und der Neffe der beiden Zwillinge. »Mit jeder Minute wird es kühler. Lass uns hineingehen. Wir haben noch den ganzen Rest des Sommers Zeit fürs Training.« Er warf Donald sein Hemd zu und bestand darauf, dass er sein Handtuch über der nassen Badehose um die Hüfte wickelte.

Als sie hinauf zur Hütte gingen, sagte Donald: »Wenn ich achtzehn bin, will ich Marineflieger werden. Mein bester Freund ist seit einem Jahr dabei. Wir schreiben uns häufig. Er hat mir alles über die Ausbildung erzählt. Die ist ganz schön hart. Aber ich will in den Krieg, bevor er vorbei ist. Ich will Japaner abschießen. Das will ich schon seit Pearl Harbor. Als der Krieg anfing, war ich vierzehn. Ich war alt genug, um zu verstehen, was da passierte, und wollte was dagegen tun. Ich will dabei sein, wenn die Japaner sich ergeben. Das wird ein toller Tag.«

»Ich hoffe, du kriegst die Gelegenheit«, sagte Bucky.

»Wieso sind Sie nicht dabei, Mr. Cantor?«

»Wegen meiner Augen. Wegen dem hier.« Er tippte an seine Brille. »Meine beiden besten Freunde sind in Frankreich. Sie sind am Tag der Invasion über der Normandie abgesprungen. Ich wollte, ich hätte bei ihnen sein können.«

»Ich verfolge mehr den Krieg im Pazifik«, sagte Donald. »In Europa wird er jetzt bald vorbei sein. Das ist der Anfang vom Ende für Deutschland. Aber im Pazifik wird es noch jede Menge Kämpfe geben. Letzten Monat haben wir bei den Marianen in zwei Tagen hundertvierzig japanische Flugzeuge zerstört. Wenn ich nur hätte dabeisein können!«

»Es wird an beiden Fronten noch genug Kämpfe geben«, sagte Bucky. »Du kommst schon noch zur rechten Zeit.«

Als sie die Stufen zu ihrer Hütte hinaufgingen, fragte Donald: »Können Sie sich morgen nach dem Abendessen die anderen Sprünge ansehen?«

»Klar. Warum nicht?«

»Danke, Mr. Cantor. Danke, dass Sie sich so um mich kümmern.«

Auf der Veranda der Hütte schüttelte Donald ihm etwas linkisch die Hand, eine erstaunlich formelle Geste, die einen ganz eigenen Reiz besaß. Eine Trainingsrunde am Sprungbrett, und schon war es, als wären sie alte Freunde. Dennoch gab es Bucky einen unerwarteten Stich, als er am Ende eines herrlichen Sommertages mit Donald dastand, denn er dachte an all die Jungen, die er auf dem Sportplatz zurückgelassen hatte. So sehr er sich auch bemühte, alles hier zu genießen, drangen die Gedanken an seine unentschuldbare Tat und den Ort, wo man ihn nicht mehr schätzte, noch immer zu ihm durch.

Er verabschiedete sich von Donald. Bis zu seinem Rendezvous mit Marcia blieb noch etwas Zeit, und er ging zu der Telefonzelle hinter dem Büro und rief seine Großmutter an. Sie würde wohl nicht zu Hause sein – wahrscheinlich war sie unten, bei den Einnemans, oder sie saß mit ihnen und den Fishers auf Klappstühlen vor dem Haus –, doch zufällig hatte es in der Stadt etwas abgekühlt, auch wenn die Hitze am nächsten Tag wieder zurückkehren sollte, und so konnte sie bei offenem Fenster und laufendem Ventilator in ihrer Wohnung sitzen und sich ihre Lieblingssendungen im Radio anhören. Sie wollte wissen, wie es ihm und Marcia und den Zwillingen ging, und er sagte, allen gehe es gut, und dann sagte er ihr, er und Marcia hätten sich verlobt. »Ich weiß nicht, ob ich lachen oder weinen soll«, sagte sie. »Mein Eugene.«

»Dann lach«, sagte er und lachte selbst.

»Ach, ich freue mich so sehr für dich, mein Lieber«, sagte sie, »aber ich wollte, deine Mutter hätte das noch erleben können. Ich wollte, sie könnte sehen, was für ein Mann ihr Sohn geworden ist. Und ich wollte, dein Großvater wäre jetzt hier. Er wäre so aufgeregt. So stolz auf seinen Jungen. Dr. Steinbergs Tochter.«

»Ich wollte auch, er wäre hier«, sagte Bucky. »Ich denke

hier oben oft an ihn. Als ich gestern vom Sprungturm gesprungen bin, habe ich daran gedacht, wie er mir im YMCA das Schwimmen beigebracht hat. Ich war sechs, und er hat mich einfach ins Wasser geworfen. Und das war's. Wie geht es dir, Grandma? Kümmern sich die Einnemans gut um dich?«

»Natürlich tun sie das. Mach dir um mich keine Sorgen. Die Einnemans sind sehr hilfsbereit, und ich kann sowieso für mich selbst sorgen. Ich muss dir was sagen, Eugene. In Weequahic gibt es dreißig neue Poliofälle. Neunundsiebzig in ganz Newark, an einem einzigen Tag. Neunzehn sind gestorben. Alles neue Rekorde. Und es gibt weitere Fälle unter den Jungen vom Sportplatz an der Chancellor Avenue School. Selma Shankman hat mich angerufen. Sie dachte, du würdest das wissen wollen. Sie hat mir die Namen der Jungen gesagt, und ich habe sie aufgeschrieben.«

»Wer sind die Jungen, Grandma?«

»Lass mich meine Brille und den Zettel holen«, sagte sie.

Mehrere Betreuer standen vor der Telefonzelle Schlange, und er machte ihnen Zeichen, dass sein Gespräch gleich beendet sein würde. Er wartete angsterfüllt auf die Namen der Jungen. Warum Kinder verkrüppeln?, dachte er. Warum eine Krankheit, die Kinder zu Krüppeln macht? Warum unsere unersetzlichen Kinder vernichten? Es sind die besten Kinder der Welt.

»Eugene?«

»Ja, Grandma, ich bin noch dran. Lies mir die Namen vor.«

»Also gut, hier sind die Jungen, die ins Krankenhaus gebracht worden sind: Billy Schizer und Erwin Frankel. Und einer ist gestorben.«

»Wer?«

»Ein Junge namens Ronald Graubard. Er ist krank geworden und noch in derselben Nacht gestorben. Hast du ihn gekannt?«

»Ja, Grandma. Vom Sportplatz und aus der Schule. Ich kenne sie alle. Ronnie ist gestorben? Ich kann es nicht glauben.«

»Es tut mir leid, dir das sagen zu müssen, aber ich dachte, weil du ihnen so nahestandest, würdest du es wissen wollen.«

»Da hast du recht. Natürlich will ich es wissen.«

»Es gibt Leute in der Stadt, die über Weequahic eine Quarantäne verhängen wollen. Es geht das Gerücht um, dass der Stadtrat das beschließen wird«, sagte sie.

»Eine Quarantäne? Über ganz Weequahic?«

»Ja. Sie wollen das Viertel absperren, damit niemand hinein oder hinaus kann. Entlang der Grenzen von Irvington und Hillside und außerdem an der Hawthorne und der Elizabeth Avenue. So steht's jedenfalls heute in der Zeitung. Da war sogar eine Karte abgedruckt.«

»Aber dort wohnen zehntausende Menschen, Leute, die Jobs haben und zur Arbeit gehen müssen. Die können sie doch nicht einsperren!«

»Die Lage ist schlimm, Eugene. Die Leute sind aufgebracht. Sie haben große Angst. Alle haben Angst um ihre Kinder. Gott sei Dank bist du nicht hier. Die Busfahrer der Linien 8 und 14 sagen, dass sie nur noch durch Weequahic fahren, wenn sie Schutzmasken kriegen. Und es gibt welche, die sagen, dass sie überhaupt nicht mehr durch Weequahic fahren werden. Die Briefträger wollen die Post nicht mehr ausliefern. Die Lastwagenfahrer weigern sich, die Läden und Lebensmittelgeschäfte und Tankstellen und so weiter zu beliefern. Wenn

Leute aus anderen Vierteln durch Weequahic fahren, kurbeln sie alle Fenster rauf, ganz gleich, wie heiß es ist. Die Antisemiten sagen, dass sich die Polio ausbreitet, kommt daher, dass hier so viele Juden leben. Wegen all der Juden – darum geht die Polio von Weequahic aus, und darum muss man die Juden isolieren. Manche von denen hören sich so an, als würden sie denken, die beste Methode, die Polio loszuwerden, bestehe darin, Weequahic mit allen Juden, die dort leben, niederzubrennen. Es gibt viel Feindseligkeit, weil die Leute aus lauter Angst verrückte Sachen sagen. Aus Angst und Hass. Ich bin in dieser Stadt geboren, aber so etwas habe ich noch nie erlebt. Als würde alles zusammenbrechen.«

»Ja, das klingt wirklich schlimm«, sagte er und warf die letzte Münze in den Schlitz.

»Ach, das hätte ich fast vergessen: Alle Sportplätze sind geschlossen. Ab morgen. Nicht nur der von der Chancellor Avenue School, sondern alle in der Stadt.«

»Tatsächlich? Aber der Bürgermeister hat doch gesagt, sie würden geöffnet bleiben.«

»Es steht in der Abendzeitung. Alle Einrichtungen, wo Kinder zusammenkommen, sind geschlossen. Ich habe die Zeitung vor mir. Kinder unter sechzehn dürfen nicht mehr ins Kino. Das Freibad ist geschlossen. Die Leihbücherei und alle Filialen. Die Pfarrer schließen die Sonntagsschulen. Es steht alles in der Zeitung. Wenn die Epidemie nicht nachlässt, wird der Schulbeginn verschoben. Ich lese dir den Aufmacher vor: ›Es besteht die Möglichkeit, dass die Schulen –‹«

»Steht da was Genaueres über die Sportplätze?«

»Nein. Sie sind nur auf der Liste der Einrichtungen, die geschlossen werden.«

Wäre er nur ein paar Tage länger in Newark geblieben, dann hätte er nicht zu kündigen brauchen. Statt dessen hätte man ihn beurlaubt, und er hätte tun können, was ihm beliebte, und gehen können, wohin er wollte. Wäre er geblieben, dann hätte er nicht O'Gara anrufen und sich anhören müssen, was dieser ihm zu sagen hatte. Wäre er geblieben, dann wäre er nicht gezwungen gewesen, seine Jungen im Stich zu lassen und ein Leben lang auf diesen unentschuldbaren Entschluss zurückzublicken.

»Hier. Das ist die Überschrift«, sagte seine Großmutter. »›Zahl der Poliofälle auf Rekordhöhe. Bürgermeister schließt öffentliche Einrichtungen.‹ Soll ich dir den Artikel schicken? Soll ich ihn ausschneiden?«

»Nein, nein. Grandma, ich muss jetzt Schluss machen – hier warten schon einige Betreuer, die auch telefonieren wollen, und außerdem hab ich kein Kleingeld mehr. Lebwohl, Grandma – bis bald.«

Marcia erwartete ihn am Eingang zum Pavillon. Sowohl Bucky als auch sie trugen Pullover gegen die ungewöhnliche Kühle, und gemeinsam schlichen sie zum Landesteg, fanden das Kanu und paddelten durch den langsam aufsteigenden Nebel zur Insel. Die Stille wurde nur von dem Plätschern durchbrochen, mit dem die Paddelblätter ins Wasser tauchten. Sie fuhren zur Rückseite der Insel und zogen das Boot an Land. Marcia hatte eine Decke mitgenommen. Er half ihr, sie auszuschütteln und auf der Lichtung auszubreiten.

»Was ist passiert?«, fragte Marcia. »Was ist los?«

»Ich habe mit meiner Großmutter gesprochen. Seit gestern gibt es in Newark neunundsiebzig neue Fälle, dreißig davon in Weequahic, darunter drei Jungen vom Sportplatz. Zwei sind im Krankenhaus, einer ist gestorben. Ronnie Graubard. Flink, intelligent, voller Energie. Und jetzt ist er tot.«

Marcia nahm seine Hand. »Ich weiß nicht, was ich sagen soll, Bucky. Es ist alles so schrecklich.«

Er ließ sich auf der Decke nieder, und sie setzte sich dicht neben ihn. »Ich weiß auch nicht, was ich sagen soll«, antwortete er.

»Sollte man nicht die Sportplätze schließen?«, fragte sie.

»Das haben sie ja. Sie haben alle Sportplätze geschlossen.«

»Wann?«

»Ab morgen. Der Bürgermeister hat es angeordnet, sagt meine Großmutter.«

»Ist es nicht auch am besten so? Das hätten sie schon längst tun sollen.«

»Ich hätte bleiben sollen, Marcia. Solange der Sportplatz noch geöffnet war, hätte ich nicht gehen dürfen.«

»Aber du bist doch gestern erst gekommen.«

»Ich bin gegangen. Mehr ist dazu nicht zu sagen. Es ist eine Tatsache: Ich bin gegangen.«

Er zog sie auf der Decke an sich. »Komm«, sagte er, »leg dich zu mir.« Er presste sich an sie. Sie hielten einander stumm umarmt. Er konnte nichts mehr denken oder sagen. Er war gegangen, während die Jungen hatten bleiben müssen, und nun waren zwei von ihnen krank, und ein dritter war tot.

»Ist es das, woran du denkst, seit du hier bist? Dass du gegangen bist?«

»Wenn ich in Newark wäre, würde ich jetzt zu Ronnies Beerdigung gehen. Wenn ich in Newark wäre, würde ich die Familien besuchen. Statt dessen bin ich hier.«

»Du kannst sie besuchen, wenn du zurück bist.«

»Das ist nicht dasselbe.«

»Aber selbst wenn du geblieben wärst – was hättest du tun können?«

»Es geht nicht darum, etwas zu *tun* – es geht darum, dort zu sein! Ich sollte jetzt dort sein, Marcia! Statt dessen bin ich auf einer Insel in einem See in den Bergen.«

Sie hielten einander stumm umarmt. Es vergingen etwa fünfzehn Minuten. Bucky konnte nur an die Namen der Jungen denken und sah ihre Gesichter vor sich: Billy Schizer. Ronald Graubard. Danny Kopferman. Myron Kopferman. Alan Michaels. Erwin Frankel. Herbie Steinmark. Leo Feinswog. Paul Lippman. Arnie Mesnikoff. Er konnte nur an den Krieg denken, der in Newark tobte, und an die Jungen, die er im Stich gelassen hatte.

Es vergingen weitere fünfzehn Minuten, bis Marcia etwas sagte. »Sieh doch«, flüsterte sie, »die Sterne sind atemberaubend. Zu Hause sieht man nie so viele. Ich wette, es ist das erste Mal, dass du einen Nachthimmel mit so vielen Sternen gesehen hast.«

Er erwiderte nichts.

»Wenn sich die Blätter bewegen, kann man die Sterne sehen. Und die Sonne«, sagte sie einen Augenblick später, »hast du die Sonne gesehen, als sie vorhin untergegangen ist? Sie sah aus, als wäre sie ganz nah. Wie ein Gong, den man schlagen könnte. Alles dort oben ist so riesig«, sagte sie und versuchte noch immer naiv – und vergebens –, ihn davon abzuhalten, sich unwürdig zu fühlen. »Und wir sind so unendlich klein.«

Ja, dachte er, aber es gibt etwas, das noch kleiner ist als wir: das Virus, das alles zerstört.

»Hör doch mal«, sagte Marcia. »Hörst du das?« In der Gemeinschaftshalle hatte es einen bunten Abend gegeben, und die Jungen, die jetzt noch dort waren und aufräumten, hatten anscheinend eine Schallplatte aufgelegt, während sie leere Sodaflaschen aufhoben und den Boden fegten und die anderen mit ihren Betreuern in ihren Hütten verschwanden, um schlafen zu gehen. Von jenseits der dunklen Stille des Sees erklang ganz leise Marcias Lieblingslied in diesem Sommer. Es war das Lied, das in der Jukebox bei Syd's gespielt hatte, als Bucky bei Alans Familie gewesen war, um ihr sein Beileid auszusprechen, und von Yushi, dem Mann hinter der Theke, erfahren hatte, dass auch Herbie gestorben war.

»*I'll be seeing you*«, sang Marcia ihm leise ins Ohr, »*in all the old familiar places ...*« Sie stand auf und zog ihn hoch, und weil sie nicht zulassen wollte, dass seine Stimmung noch weiter sank, und nicht wusste, was sie sonst hätte tun können, schlang sie die Arme um ihn und begann zu tanzen.

»*That this heart of mine embraces*«, sang sie, den Kopf an seine Brust gelegt, »*all day through ...*«, und auf dem langen *through* hob sie anmutig die Stimme.

Gehorsam drückte er sie an sich, tanzte mit ihr auf der Mitte ihrer kleinen Lichtung langsam auf der Stelle und dachte an jenen Abend Ende Juni, an den Vorabend ihrer Abreise nach Indian Hill, als sie, so eng wie jetzt, auf der Veranda ihres Elternhauses zur Radiomusik getanzt hatten. Alles, was sie damals belastet hatte, war die Tatsache gewesen, dass Marcia im Juli und August fort sein würde.

»*In that small cafe ...*«, sang sie mit zarter, flüsternder Stimme, »*the park across the way ...*«

In dem kleinen Wäldchen aus Birken – die, wie Marcia ihm erklärt hatte, vom Schnee der Winter in den Poconos so gebeugt waren – hielten sie einander mit ihren ungelähmten Armen umschlungen, wiegten ihre ungelähmten Oberkörper im Takt der Musik auf ungelähmten Beinen hin und her und konnten die gesungenen Worte jetzt nur noch bruchstückhaft hören – »... *everything that's light and gay ... think of you ... when night is new ... seeing you ...*« –, bis jemand dort drüben die Nadel von der Platte hob und den Apparat ausschaltete. Eines nach dem anderen erloschen die Lichter in der Gemeinschaftshalle, und man hörte, wie die Jungen sich voneinander verabschiedeten: »Nacht! Gute Nacht!« Taschenlampen leuchteten auf, und Marcia und er konnten die flackernden Lichtpünktchen sehen, als die Kinder – ungefährdet, gesund, unversehrt und sorglos – zurück zu ihren Hütten gingen.

»Wir haben einander«, flüsterte Marcia, nahm ihm die Brille ab und bedeckte sein Gesicht mit hungrigen Küssen. »Ganz gleich, was auf der Welt geschieht – wir lieben uns, Bucky. Ich verspreche, ich werde immer für dich singen und dich lieben, und was auch geschieht, ich werde immer an deiner Seite stehen.«

»Das stimmt«, sagte er, »wir haben einander und unsere Liebe.« Aber was bedeutet das schon für Billy und Erwin und Ronnie?, dachte er. Was bedeutet es für ihre Familien? Was hat irgendeiner von ihnen davon, dass wir uns umarmen und küssen und miteinander tanzen wie zwei verliebte Teenager, die von nichts etwas wissen?

Als er in seine Hütte trat – alle anderen schliefen bereits tief, ermüdet vom Wandern, Schwimmen und Ballspielen –, lag auf seinem Bett eine Nachricht von Donald. »Rufen Sie Ihre Großmutter an« – mehr stand da nicht. Sie anrufen? Er hatte doch gerade erst mit ihr gesprochen! Er rannte zur Telefonzelle und fragte sich, ob ihr etwas passiert war. Er hätte sie nie allein lassen dürfen. Natürlich kam sie nicht allein zurecht, nicht solange sie diese Schmerzen in der Brust bekam, sobald sie versuchte, etwas die Treppe hinaufzutragen. Er hatte sie allein gelassen, und jetzt war etwas passiert!

»Grandma, ich bin's, Eugene. Was ist los? Ist alles in Ordnung?«

»Mir geht es gut. Aber ich habe vorhin etwas gehört, und dann habe ich im Camp angerufen. Ich wollte dich nicht beunruhigen, aber ich dachte, du würdest es wissen wollen. Es sind keine guten Nachrichten, Eugene, sonst hätte ich kein Ferngespräch geführt. Mrs. Garonzik aus Elizabeth hat angerufen und wollte dich sprechen.«

»Jake«, sagte Bucky.

»Ja«, sagte sie. »Jake ist tot.«

»Wie? Wie ist das passiert?«

»Er ist in Frankreich gefallen.«

»Ich kann es nicht glauben. Er war unbesiegbar. Er war wie eine Ziegelmauer. Er war eins dreiundneunzig groß und wog sechsundneunzig Kilo. Er war ein Energiebündel. Er kann nicht tot sein!«

»Ich fürchte aber, es ist so, mein Junge. Seine Mutter sagte, dass er in einer Stadt gefallen ist, deren Name mir gerade nicht einfällt. Ich hätte ihn aufschreiben sollen. Eileen ist bei der Familie.«

Bei der Erwähnung von Eileen durchfuhr es ihn abermals. Jake hatte Eileen McCurdy auf der Highschool kennengelernt, und während seines gesamten Studiums in Panzer war sie seine Freundin gewesen. Die beiden wollten heiraten und sich in Elizabeth niederlassen, sobald er aus dem Krieg zurück war.

»Er war so groß und stark und so wohlerzogen«, sagte seine Großmutter. »Jake war einer der nettesten Jungen, die du je mitgebracht hast. Ich sehe ihn noch vor mir, da am Küchentisch, an dem Abend, als du ihn und Dave zum Abendessen eingeladen hast. Jake wollte ›jüdisches Essen‹. Und dann hat er sechzehn Latkes gegessen.«

»Stimmt. Ich erinnere mich. Wir haben alle gelacht.« Tränen rannen ihm jetzt über das Gesicht. »Aber Dave ist am Leben, oder? Dave Jacobs ist am Leben.«

»Ich weiß es nicht, mein Schatz. Wie soll ich das wissen? Ich nehme es an. Ich hoffe es. Ich habe nichts von ihm gehört. Nach dem, was sie im Radio sagen, verläuft der Krieg in Frankreich nicht gut. Schreckliche Kämpfe gegen die Deutschen. Viele Tote und viele Verwundete.«

»Ich kann nicht meine beiden Freunde verlieren«, sagte Bucky mutlos, und als er auflegte, ging er nicht zurück zu seiner Hütte, sondern zum See. Trotz der nächtlichen Kühle setzte sich auf den Sprungturm, starrte weit über eine Stunde lang ins Dunkel und dachte an die verherrlichenden Beinamen, die man Jake auf der Sportseite der Collegezeitung gegeben hatte: »Der Mann aus Stahl«, »Big Jake«, »Ein Mann wie ein Berg« ... Dass Jake tot war, erschien ihm so unvorstellbar wie sein eigener Tod, doch das änderte nichts daran, dass ihm die Tränen über die Wangen liefen.

Gegen Mitternacht stieg er hinunter, doch anstatt sich den Hügel hinauf zur Hütte zu wenden, ging er auf dem Steg auf und ab, bis über dem See das erste Morgenlicht stand, und er dachte daran, dass sein Großvater, ein anderer geliebter Toter, in diesem Licht ein Glas heißen Tee – im Winter mit einem Schuss Schnaps – getrunken hatte, bevor er sich auf den Weg zum Markt in der Mulberry Street gemacht hatte, um frische Ware für sein Geschäft zu kaufen. In den Schulferien hatte Bucky ihn manchmal begleitet.

Er rang noch immer um Fassung, damit er in die Hütte zurückkehren konnte, bevor einer der Jungen erwachte, als die Vögel im Wald zu singen begannen. Tagesanbruch in Camp Indian Hill. Bald würde man aus den Hütten das Murmeln junger Stimmen hören, und dann würde das ausgelassene Geschrei beginnen.

Einmal pro Woche wurde, für Mädchen und Jungen getrennt, eine Indianernacht veranstaltet. Um acht Uhr fanden sich alle Jungen am Lagerfeuer ein, das sich auf einer Lichtung hoch über dem See befand und einen Durchmesser von etwa zwanzig Metern hatte. In seinem Mittelpunkt war eine große, mit flachen Steinen ausgelegte Grube. Über zwei schweren, meterlangen Stämmen wurden die anderen einen Meter hoch kreuz und quer wie beim Bau einer Blockhütte aufgeschichtet; dabei verwendete man nach oben hin immer kürzere Scheite. Das Feuer war von einem Ring aus kleinen, pittoresk geformten Felsen umgeben. Etwa drei Meter von diesem Ring entfernt war die erste Bankreihe. Die Bänke bestanden aus gespaltenen, mit Steinen gesicherten Baumstämmen; sie waren konzentrisch in drei Sektionen zu je vier Reihen angeordnet.

Etwa sechs Meter hinter der letzten Reihe begann der Wald. Mr. Blomback nannte es »das Ratsfeuer«, und die wöchentliche Versammlung aller Jungen des Camps hieß »die Große Ratsversammlung«.

Am Rand des Rings stand ein Tipi, reicher verziert und größer als das am Eingang des Camps. Es hieß das Ratszelt und war oben mit roten, grünen, gelben, blauen und schwarzen Streifen und unten mit einer rotschwarzen Bordüre bemalt. Es gab auch einen Totempfahl, dessen Spitze ein geschnitzter Adlerkopf bildete. Darunter standen zwei große Flügel nach beiden Seiten ab. Die vorherrschenden Farben des Pfahls waren Schwarz, Weiß und Rot, die Farben von Camp Indian Hill. Der etwa fünf Meter hohe Totempfahl stand an einer Stelle, wo man ihn vom See aus sehen konnte. Im Westen, jenseits des Sees, wo die Mädchen ihre eigene Indianernacht veranstalteten, ging die Sonne unter – wenn die Große Ratsversammlung vorbei war, würde es ganz dunkel sein. Nur ganz leise hörte man das Klappern des abgeräumten Geschirrs aus dem Speisepavillon, und der dramatisch gefärbte Himmel über dem See – ein langer Lavafluss in Dunkelorange, Hellrosa und Blutrot – verkündete das Ende des Tages. Ein schimmerndes sommerliches Halbdunkel senkte sich langsam über Indian Hill, ein extravagantes Geschenk des Gottes des Horizonts, sofern es im indianischen Pantheon eine solche Gottheit gab.

Die Jungen und ihre Betreuer – die an diesem Abend »Krieger« hießen – kamen in Indianerkleidung, die sie größtenteils selbst hergestellt hatten, zur Ratsversammlung. Alle trugen lederne, mit Perlenstickereien verzierte Stirnbänder, fransenbesetzte Tuniken, die einst gewöhnliche Oberhemden gewesen waren, und Leggins, die ganz normale Hosen waren, an deren Außennähte man Fransen genäht hatte. Einige hatten aus Leder gebastelte Mokassins, die meisten aber knöchelhohe, mit Perlen und Fransen verzierte Turnschuhe. Einige Jungen hatten sich im Wald gefundene Federn hinter das Stirnband gesteckt, andere kurz oberhalb des Ellbogen Perlenbänder um den Arm gebunden, und viele trugen Paddel, die wie der Totempfahl mit roten, schwarzen und weißen Symbolen bemalt waren. Ein paar hatten sich Bogen – allerdings keine Pfeile – aus der Gerätekammer ausgeliehen und über die Schulter gehängt, andere brachten Trommeln mit straff gespannten Kalbfellen und Trommelstöcke mit perlenbesetzten Griffen oder bemalte Rasseln aus mit Kieselsteinen gefüllten Backpulverdosen mit. Die Jüngsten hatten sich ihre Bettdecken wie Indianerroben umgelegt, damit sie nicht froren, wenn die abendliche Kühle kam.

Buckys Indianerkostüm war vom Handwerksbetreuer zusammengestellt worden. Wie die anderen hatte er sein Gesicht mit Kakaopulver eingerieben, damit die Haut den dunklen Ton eines Indianers bekam, und auf jede Wange einen diagonalen Streifen – die »Kriegsbemalung« – aufgetragen, einen schwarzen mit Holzkohle, einen roten mit Lippenstift. Er setzte sich neben Donald Kaplow, auf dessen anderer Seite der Rest der Jungen aus seiner Hütte saß. Alles unterhielt sich und alberte herum, bis schließlich zwei Trommler aufstanden, zu dem Ring aus Steinen gingen, sich einander gegenüber aufstellten und mit den Trommelstöcken einen langsamen, feierlichen Rhythmus schlugen, während diejenigen, die eine Rassel hatten, diese schüttelten, wenn auch keineswegs im selben Takt.

Alle sahen zu dem Tipi. Aus der ovalen Öffnung trat Mr.

Blomback, angetan mit einem Kopfschmuck aus weißen Federn mit braunen Spitzen, die sein Gesicht einrahmten und in zwei langen Streifen bis zur Taille hingen. Seine Tunika, seine Leggins, ja selbst seine Mokassins waren über und über verziert mit Fransen, Perlenstickereien und langen Haarsträhnen, die ganz echt aussahen, höchstwahrscheinlich aber von billigen Damenperücken stammten. In einer Hand hielt er eine mit Federn verzierte Keule – »der Streitkolben des Großen Häuptlings Blomback«, flüsterte Donald –, in der anderen eine Friedenspfeife, die aus einem langen hölzernen Rohr und einem Kopf aus gebranntem Ton bestand und ebenfalls mit Federn verziert war.

Alle standen auf, als Mr. Blomback vom Tipi zum Mittelpunkt des Versammlungsrings schritt. Dann verstummten die Trommeln und die Rasseln, und man setzte sich.

Mr. Blomback reichte den Streitkolben und die Friedenspfeife den beiden Trommlern, verschränkte mit großer Gebärde die Arme und ließ seinen Blick über die Bänke schweifen. Sein kakaofarbenes Make-up verbarg nicht ganz den vorstehenden Adamsapfel, aber davon abgesehen wirkte er zu Buckys Erstaunen wie ein echter Indianerhäuptling. Früher hatte er die Jungen nach Indianerart begrüßt, mit erhobenem rechtem Arm, die Handfläche nach vorn gekehrt, und alle hatten den Gruß auf dieselbe Weise erwidert und dabei ein befriedigtes »Hugh!« gegrunzt. Doch diesen Teil der Zeremonie hatte man gestrichen, seit die Nazis auf der Weltbühne erschienen waren, denn die benutzten dieselbe Geste, die bei ihnen »Heil Hitler« bedeutete.

»Als der erste primitive Urmensch sich aufrichtete und auf zwei Beinen ging«, begann Mr. Blomback, »wurde er zum

Menschen! Diesen großen Schritt markiert und symbolisiert die Entzündung des ersten Lagerfeuers.«

Donald wandte sich zu Bucky und flüsterte: »Das sagt er jede Woche. Die Kleineren verstehen kein Wort. Eigentlich genau wie in der Schul.«

»Seit Millionen Jahren«, fuhr Mr. Blomback fort, »hat unsere Rasse in diesem heiligen Feuer das Mittel und das Symbol für Licht, Wärme, Schutz, Freundschaft und Beratschlagung gesehen.«

Er hielt inne, während über dem Camp das Dröhnen eines Flugzeugs erklang. Dies geschah inzwischen ständig. Zu Beginn des Krieges war hundertzwanzig Kilometer weiter nördlich eine Luftwaffenbasis eröffnet worden, und Indian Hill lag in der Einflugschneise.

»Alles Heilige in den uralten Geschichten vom Herdfeuer, vom heimischen Herd«, fuhr Mr. Blomback fort, »hat seinen Sitz in der Glut, und wenn das Feuer erlischt, erlischt auch die Verbindung zum Heim. Nur das uralte, heilige Holzfeuer hat die Kraft, diese Saiten vorzeitlicher Erinnerung zu berühren und anzuschlagen. Ihr fasst Zuneigung zu eurem Nachbarn am Lagerfeuer, und dass ihr dort gemeinsam friedlich gesessen habt, dass ihr gemeinsam die aufgehende Sonne, das Abendlicht, die Sterne, den Mond, das Gewitter, den Sonnenuntergang, die nächtliche Finsternis bewundert habt, schafft eine dauerhafte Verbindung, ganz gleich, welche Welten euch trennen.«

Er breitete die fransengeschmückten Arme aus, und die Jungen antworteten im Chor auf seine hochtrabenden Worte: »Das Lagerfeuer ist das Zentrum aller urtümlicher Bruderschaften. Wir werden seine magischen Kräfte stets nutzen.«

Die Trommler begannen wieder zu spielen, und Donald flüsterte Bucky zu: »Ein Indianerforscher. Soundso Seton. Das ist sein Gott. Die Worte sind von ihm. Mr. Blomback benutzt denselben Indianernamen wie Seton: Schwarzer Wolf. Er findet nicht, dass irgendwas davon Unsinn ist.«

Als nächster erhob sich in der ersten Reihe jemand, der eine Vogelmaske mit großem Schnabel trug, und trat an den Holzstoß. Er verbeugte sich vor Mr. Blomback und wandte sich dann den Jungen zu.

»*Mita Kola naihun-po omnitschijaini-tschopi.*«

»Das ist unser Medizinmann«, flüsterte Donald. »Barry Feinberg.«

»Hört mich an, meine Freunde«, sagte der Medizinmann, der seine Worte jetzt übersetzte, »wir wollen eine Ratsversammlung abhalten.«

Ein Junge aus der ersten Reihe trat mit einigen Gerätschaften zu ihm, darunter etwas, das wie ein Bogen aussah, sowie ein dreißig Zentimeter langer, gerader, angespitzter Stock und einige Holzstücke. Er legte alles vor dem Medizinmann auf den Boden.

»Wir werden nun das Feuer entzünden«, sagte der Medizinmann, »aber nicht nach Art des weißen Mannes, sondern nach Art der Kinder des Waldes. Wir werden Feuer machen, wie Wakonda selbst es macht, wenn er im Sturm zwei Bäume aneinander reibt. So entsteht die heilige Flamme aus dem Holz des Waldes.«

Der Medizinmann kniete nieder, und viele Jungen erhoben sich, um besser sehen zu können, wie er mit dem spitzen Stab und dem Bogen und den anderen Holzstücken Feuer machte.

»Das kann dauern«, flüsterte Donald.

»Geht das denn überhaupt?«, flüsterte Bucky zurück.

»Häuptling Schwarzer Wolf schafft es in einunddreißig Sekunden. Für die Jungen ist es schwieriger. Manchmal geben sie es auf und machen Feuer nach Art des hilflosen weißen Mannes: mit einem Streichholz.«

Einige der Jungen waren auf Bänke gestiegen, um besser sehen zu können. Nach einigen Minuten ging Mr. Blomback zum Medizinmann und begann ihm, begleitet von Gesten, leise Tipps zu geben.

Alle warteten noch ein paar Minuten. Dann stießen einige Jungen Jubelrufe aus, denn man sah zunächst Rauch, dann eine winzige Glut, die, als man sacht darauf blies, den Zunder aus trockenen Tannennadeln und winzigen Stückchen Birkenrinde entzündete. Dieser wiederum setzte die Reiser zwischen den Scheiten am Fuß des Holzstoßes in Brand, und die Jungen riefen im Chor: »Feuer soll brennen! Flamme soll flackern! Rauch soll steigen!«

Unter den klagenden Laut-sacht-sacht-sacht-Klängen der beiden Trommeln begann der Tanz. Eine Hütte (die Mohawk) führte den Schlangentanz vor, eine andere (die Seneca) den Kaributanz, die dritte (die Oneida) den Hundetanz, die vierte (die Hopi) den Maistanz und die fünfte (die Sioux) den Grastanz. Bei einem Tanz sprangen die jungen Krieger mit hochgereckten Köpfen in die Luft, dann wieder federten die Tänzer auf den Zehenballen und hüpften zweimal auf jedem Fuß oder trugen Geweihe aus zusammengebundenen Zweigen und stampften heftig auf; mal heulten sie wie Wölfe, mal winselten sie wie Hunde, und als es schließlich ganz dunkel geworden war und nur das Feuer die Versammlung erhellte, traten zwanzig Jungen, jeder ausgestattet mit einem Streitkolben und einer Kette aus Perlen und schwarzen, geschnitzten Klauen, vor und machten sich im Schein des Feuers daran, Mischi-Mokwa zu jagen, den Großen Bären. Dieser wurde von Jerome Hochberger verkörpert, dem größten Jungen im Camp, dessen Bett gegenüber dem von Bucky stand, auf der anderen Seite des Mittelgangs. Jerome hatte sich in etwas gehüllt, das wie ein über den Kopf gezogener alter Pelzmantel aussah.

»Ich bin der furchtlose Mischi-Mokwa«, knurrte Jerome unter dem Mantel. »Ich bin der mächtige Grizzlybär der Berge, der König der Prärie des Westens.«

Die Jäger wurden von Shelly Schreiber angeführt, einem Jungen, der ebenfalls in Buckys Hütte wohnte. Hinter ihm erklangen laut die Trommeln, und der Widerschein des Feuers flackerte auf seinem bemalten Gesicht, als er sagte: »Dies sind meine ausgesuchten Jäger. Wir jagen Mischi-Mokwa, den Großen Bären der Berge, der in unser Gebiet eingedrungen ist. Wir werden ihn finden und töten.«

Viele der kleineren Jungen auf den Bänken riefen: »Ja, tötet ihn! Tötet ihn! Tötet Mischi-Mokwa!«

Die Jäger stießen ein Kriegsgeschrei aus und tanzten, als wären sie Bären, die sich auf die Hinterbeine erhoben hatten. Dann schnupperten sie am Boden und suchten die Fährte des Bären. Als sie ihn eingekreist hatten, richtete er sich mit großem Gebrüll auf, was die kleineren Jungen auf den nächstgelegenen Bänken vor Schreck aufschreien ließ.

»Ho, Mischi-Mokwa«, sagte der Anführer der Jäger, »haben wir dich also gefunden. Wenn du nicht herauskommst, bevor ich bis Hundert gezählt habe, werde ich überall verkünden, du seist ein Feigling.«

Plötzlich stürzte sich der Bär auf die Jäger, die ihn unter den

Jubelrufen der Jungen mit ihren Keulen aus mit Sackleinen umwickeltem Stroh zu Boden schlugen. Als er in dem Pelzmantel ausgestreckt auf der Erde lag, tanzten die Jäger um ihn herum, und einer nach dem anderen nahm seine leblose Tatze und rief: »Hum! Hum! Hum!« Der Jubel hielt an. Wie faszinierend, an Mord und Tod teilzuhaben!

Dann erschienen zwei Betreuer, der eine klein, der andere hochgewachsen, die sich als Kleine Feder und Große Feder vorstellten, und erzählten eine Reihe von indianischen Tiergeschichten, bei denen die kleineren Jungen entweder laut auflachten oder in gespieltem Entsetzen schrien. Nach den Geschichten setzte Mr. Blomback den Kopfschmuck ab und legte ihn zu dem Streitkolben und der Friedenspfeife. Unter seiner Anleitung sangen die Jungen, während das Feuer herunterbrannte, etwa zwanzig Minuten lang vertraute Camplieder, damit sie nach all der Aufregung des Indianerlebens wieder auf den Boden der Wirklichkeit zurückfanden. Schließlich sagte Mr. Blomback: »Und nun die wichtigsten Kriegsmeldungen der vergangenen Woche, die Nachrichten über das, was außerhalb von Indian Hill passiert ist: In Italien hat die britische Armee den Arno überschritten und Florenz eingenommen. Im Pazifik haben Kampftruppen der USA Guam besetzt, worauf der japanische Premierminister Tojo –«

»Buh! Buh, Tojo!«, riefen einige der älteren Jungen.

»– worauf der japanische Premierminister Tojo als Chef des japanischen Generalstabs abgelöst wurde. In England hat Premierminister Churchill –«

»Hurra! Churchill!«

»– gesagt, der Krieg gegen Deutschland könnte vielleicht früher zu Ende sein als angenommen. Und hier bei uns, in

Chicago, Illinois, ist Präsident Roosevelt – wie die meisten von euch inzwischen sicher wissen – vom Parteitag der Demokratischen Partei für eine vierte Amtszeit nominiert worden.«

Hier rief etwa die Hälfte der Jungen »Hurra! Roosevelt!«, während einer wie wild die Trommel schlug und ein anderer seine Rassel schüttelte.

»Und jetzt«, sagte Mr. Blomback, als es wieder ruhig geworden war, »wollen wir an die amerikanischen Soldaten denken, die in Europa und im Pazifik kämpfen, und an alle unter euch, die, wie ich, Verwandte in der Armee haben, und darum wird das vorletzte Lied *God Bless America* sein. Wir widmen es all denen, die heute Nacht in fernen Ländern für unser Heimatland kämpfen.«

Sie standen auf und sangen *God Bless America*, und danach legten sie einander die Arme auf die Schultern. Während eine Reihe sich zur einen und die nächste Reihe sich zur anderen Seite wiegte, sangen sie *Till We Meet Again*, die Hymne auf die Kameradschaft, die jede Indianernacht zu einem ruhigen Ende brachte. Wenn es in der letzten Indianernacht des Sommers gesungen wurde, brachen viele der Jungen, die nun nach Hause zurückkehren würden, in Tränen aus.

Heute aber war Bucky der einzige, der bei den Klängen von *God Bless America* weinte, in Erinnerung an seinen lieben Collegefreund, an den er ständig denken musste, seit er erfahren hatte, dass er in Frankreich gefallen war. Er hatte sich während der Zeremonie bemüht, dem Geschehen rund um das Feuer zu folgen und Donald zuzuhören, der es leise kommentierte, aber eigentlich konnte er an nichts anderes denken als an Jakes Tod und Jakes Leben, an das, was Jake hätte sein und werden können. Während die Jungen den Großen Bären jagten, dachte

Bucky an das Frühjahr 1941, an den Leichtathletikwettkampf der Colleges von New Jersey, wo Jake beim Kugelstoßen mit siebzehn Meter zwanzig nicht nur einen Rekord für das Panzer College, sondern einen neuen landesweiten Collegerekord aufgestellt hatte. Wie er das gemacht habe, wollte der Reporter vom *Newark Star-Ledger* wissen. Jake grinste breit, schwenkte seinen Pokal mit dem kleinen Athleten aus Bronze, der im Augenblick des Stoßes eingefroren war, in Buckys Richtung und sagte mit einem Augenzwinkern: »Ganz einfach – die linke Schulter ist oben, die rechte Schulter ist weiter oben, der rechte Ellbogen ist noch weiter oben, und die rechte Hand ist am höchsten. Wenn man das beachtet, ist alles andere ganz leicht.« Ganz leicht. Für Jake war alles ganz leicht. Er hätte sicher an den Olympischen Spielen teilgenommen, er hätte Eileen geheiratet, er hätte einen Job als Leichtathletiktrainer am College bekommen ... Bei seinem Talent – was hätte ihn aufhalten sollen?

Am Lagerfeuer unter den Sternen hell
Im Kreis der flüsternden Bäume,
Saß ich und fand Kameraden schnell,
Wir träumten gemeinsame Träume.
So lasst uns schwören in dieser Nacht,
Bevor wir auseinandergehen,
Zu bewahren die Freundschaft, die sie gebracht,
Bis wir uns wiedersehen.

Nach diesem Abschiedslied fanden sie sich zu Paaren zusammen und folgten ihren Betreuern, die sie aus den Bankreihen und um das Feuer herum führten – ein Feuer, das einige der Oberbetreuer nun löschen würden. Als sie zu ihren Hütten gingen und ihre blinkenden Taschenlampen im Dunkel des

Waldes verschwanden, stieß der eine oder andere ein Kriegsgeschrei aus, und manche der in Decken gehüllten Kleinen riefen, noch immer im Bann des lodernden Feuers: »Hum! Hum! Hum!« Einige leuchteten ihre Gesichter von unten an, rissen die Augen auf und schnitten Grimassen, um ihre Kameraden ein letztes Mal zu erschrecken, bevor die Indianernacht vorüber war. Noch fast eine Stunde lang hörte man aus den Hütten das Lachen und Kichern von Kindern, und als alles schlief, zog der Geruch des Holzfeuers noch immer durch das Lager.

Sechs sorglose Tage später – es waren die bislang schönsten: alles in sattes Julilicht getaucht, sechs meisterliche Bergsommertage, einer schöner als der andere – taumelte nachts um drei jemand unbeholfen, als wären seine Füße zusammengekettet, zur Toilette der Hütte. Buckys Bett stand direkt an der Trennwand, und er hörte, dass sich der Junge übergab. Er griff unter das Bett, holte die Brille hervor, setzte sie auf und suchte die beiden Bettenreihen ab, um zu sehen, wer fehlte. Das leere Bett gehörte Donald. Bucky stand auf, ging zur Toilettentür und flüsterte: »Ich bin's, Bucky. Brauchst du Hilfe?«

Donald antwortete mit schwacher Stimme: »Ich muss was Falsches gegessen haben. Es geht schon.« Aber dann würgte er abermals, und Bucky setzte sich im Pyjama auf sein Bett und wartete darauf, dass Donald herauskam.

Gary Weisberg, der das Bett neben Bucky hatte, wachte auf, sah Bucky dasitzen und flüsterte: »Was ist los?«

»Donny hat sich den Magen verdorben. Schlaf weiter.«

Schließlich trat Donald auf wackligen Beinen aus der Toilette. Bucky stützte ihn und führte ihn zu seinem Bett. Er deckte ihn zu, setzte sich und fühlte Donalds Puls.

»Normal«, flüsterte er. »Wie fühlst du dich?«

Donald antwortete mit geschlossenen Augen. »Ganz schwach. Und mir ist kalt.«

Als Bucky seine Hand auf Donalds Stirn legte, fühlte sie sich wärmer an als normal. »Soll ich dich zum Krankenquartier bringen? Fieber und Schüttelfrost. Vielleicht sollte sich das die Krankenschwester ansehen.«

»Nein, nein, nicht nötig«, sagte Donald mit schwacher Stimme. »Ich muss bloß schlafen.«

Doch am Morgen konnte Donald nicht aufstehen, um sich die Zähne zu putzen, und als Bucky ihm die Hand auf die Stirn legte und fühlte, wie warm sie war, sagte er: »Ich bringe dich jetzt zum Krankenquartier.«

»Ist bloß ein Schnupfen«, sagte Donald. »Den hab ich mir wahrscheinlich beim Turmspringen geholt.« Er versuchte zu lächeln. »Ich war ja gewarnt.«

»Wahrscheinlich war es wirklich schon zu kühl. Aber du hast Fieber und gehörst ins Krankenquartier. Hast du Schmerzen? Tut dir irgendwas weh?«

»Mein Kopf.«

»Schlimm?«

»Ziemlich.«

Die anderen Jungen waren ohne Donald und Bucky zum Frühstück gegangen. Um mit dem Anziehen keine Zeit zu verschwenden, beschloss Bucky, Donald nur den Bademantel umzulegen und mit ihm zu dem kleinen Krankenquartier an der Einfahrt des Camps zu gehen, wo eine der beiden Krankenschwestern sein würde.

»Soll ich dir aufhelfen?«, fragte Bucky.

»Es geht schon«, sagte Donald. Doch als er aufstand, gab

eines seiner Beine unter ihm nach, und er fiel verwundert rücklings auf sein Bett.

»Mein Bein«, sagte er.

»Welches Bein?«

»Das rechte. Es ist wie tot.«

»Wir müssen dich ins Krankenhaus bringen.«

»Warum kann ich nicht gehen?«, fragte Donald, und zum ersten Mal zitterte seine Stimme vor Angst. »Was ist los mit mir?«

»Ich weiß es nicht«, sagte Bucky. »Aber die Ärzte werden es schon herausfinden und dir wieder auf die Beine helfen. Bleib ruhig und warte hier. Ich hole einen Krankenwagen.«

So schnell er konnte, rannte er den Hügel hinunter zu Mr. Blombacks Büro und dachte dabei: Alan, Herbie, Ronnie, Jake – ist das noch nicht genug? Jetzt auch noch Donald?

Mr. Blomback war im Speisepavillon und frühstückte zusammen mit den anderen. Bucky verlangsamte seine Schritte, als er den Pavillon betrat und Mr. Blomback an dem üblichen Tisch in der Mitte sitzen sah. Es war einer der bei den Kindern sehr beliebten Morgen, an denen es Pfannkuchen gab – man roch die Ströme von Ahornsirup, die sich über die Teller ergossen. »Mr. Blomback«, sagte er leise, »könnten Sie bitte mal für einen Augenblick mit hinaus kommen? Es ist dringend.«

Mr. Blomback stand auf. Die beiden gingen zum Ausgang, und erst als sie ein paar Schritte vom Pavillon entfernt waren, sagte Bucky: »Ich glaube, Donald Kaplow hat Polio. Er liegt in seinem Bett, und ein Bein ist gelähmt. Er hat Kopfschmerzen und Fieber, und heute Nacht hat er sich erbrochen. Wir sollten einen Krankenwagen rufen.«

»Nein, ein Krankenwagen würde nur alle beunruhigen. Ich

fahre ihn in meinem Wagen ins Krankenhaus. Sind Sie sicher, dass es Polio ist?«

»Sein rechtes Bein ist gelähmt«, sagte Bucky. »Er kann nicht stehen. Er hat starke Kopfschmerzen und ist fix und fertig. Klingt das nicht wie Polio?«

Bucky lief zurück zur Hütte, während Mr. Blomback seinen Wagen holte und unmittelbar vor dem Eingang parkte. Bucky wickelte Donald in eine Decke, und dann halfen er und Mr. Blomback ihm auf, nahmen ihn in die Mitte und führten ihn zur Tür und auf die Veranda, die den See überblickte. In der kurzen Zeit, seit Bucky ihn verlassen hatte, war Donalds anderes, ungelähmtes Bein ebenfalls schwächer geworden, und so schleiften seine Füße über den Boden, als sie ihn die Stufen hinunter und zum Wagen trugen.

»Sprechen Sie vorerst mit niemandem darüber«, sagte Mr. Blomback. »Wir wollen nicht, dass die Kinder in Panik geraten. Oder dass die Betreuer in Panik geraten. Ich fahre mit ihm ins Krankenhaus und rufe von dort seine Familie an.«

Bucky sah zu dem Jungen auf dem Rücksitz des Wagens. Donald regte sich nicht und wimmerte leise. Er hatte die Augen geschlossen, und das Atmen schien ihm mit einemmal schwerzufallen. Bucky dachte daran, dass Donald seine Sprünge gegen Ende des Abends am See schon sehr viel selbstsicherer gemacht hatte, mit mehr Geschmeidigkeit und Balance als anfangs, und dass sie, nachdem er sein Repertoire vorgeführt hatte, noch eine halbe Stunde lang an seinem Schwalbensprung gearbeitet hatten. Und mit jedem Sprung war Donald besser geworden.

Bucky klopfte an das Fenster, und der Junge öffnete die Augen. »Das wird schon wieder«, sagte Bucky. Mr. Blomback fuhr los. Bucky rannte ein Stück neben dem Wagen her und rief Donald zu: »In ein paar Tagen gehen wir wieder springen«, obwohl der rapide Verfall des Jungen deutlich und sein Gesichtsausdruck erschreckend war: Zwei fiebrig glänzende Augen suchten Buckys Gesicht nach einem Trost ab, den es nicht gab.

Glücklicherweise waren die Kinder noch im Pavillon beim Frühstück. Bucky rannte zurück in die Hütte und machte Donalds Bett, so gut es ohne die Decke, in die sie ihn gewickelt hatten, ging. Dann trat er auf die Veranda, betrachtete den See, wo seine Helfer gleich auf ihn warten würden, und stellte sich die naheliegende Frage: Wer hat die Kinderlähmung hier eingeschleppt wenn nicht ich?

Den anderen Jungen in der Hütte sagte man, Donny habe eine Magengrippe und sei im Krankenhaus, wo er bis zu seiner Genesung bleiben werde. In Wirklichkeit hatten eine Spinalpunktion und eine Untersuchung der Rückenmarksflüssigkeit ergeben, dass Donald Kaplow tatsächlich Polio hatte. Mr. Blomback verständigte seine Eltern in Hazleton, die sofort nach Stroudsburg kamen. Bucky verbrachte den Tag am Badeplatz, erteilte den Betreuern Anweisungen, unterrichtete die kleineren Jungen im flachen Wasser, gab den älteren Jungen am Sprungturm, die am liebsten den ganzen Tag Sprünge geübt hätten, wenn man sie nur gelassen hätte, Tipps und Ratschläge, und als der Tag sich dem Ende zuneigte und die Jungen in ihre Hütten gingen, um sich für das Abendessen umzuziehen, setzte er die Brille ab, stieg auf den Turm und machte mit voller Konzentration jeden schwierigen Sprung in seinem Repertoire, und als er damit fertig war und seine Brille wieder aufsetzte, dachte er noch immer an das, was geschehen war –

an die Geschwindigkeit, mit der es geschehen war, und die Möglichkeit, es könnte durch ihn geschehen sein. Und an die Möglichkeit, *das alles* könnte durch ihn geschehen sein und auch der Ausbruch der Polio unter den Jungen auf dem Sportplatz sei vielleicht auf ihn zurückzuführen. Mit einemmal hörte er einen gellenden Schrei. Es war der Schrei der Frau, die unter der Familie Michaels wohnte und schreckliche Angst hatte, auch ihre Kinder könnten Kinderlähmung bekommen und sterben. Er hörte diesen Schrei nicht einfach – er war der Schrei.

An jenem Abend fuhren sie wieder mit dem Kanu zur Insel. Marcia wusste noch nichts von Donald Kaplows Erkrankung. Mr. Blomback wollte das ganze Camp beim Frühstück am nächsten Morgen davon unterrichten, zusammen mit Dr. Huntley, dem Arzt des Camps, der seine Praxis in Stroudsburg hatte, das Camp regelmäßig aufsuchte und zusammen mit den beiden Krankenschwestern selten etwas Ernsteres als Ringwurmbefall, Impetigo, Augenentzündungen, Giftsumachausschlag oder schlimmstenfalls einen Knochenbruch zu behandeln hatte. Mr. Blomback rechnete damit, dass einige Eltern ihre Kinder aus dem Camp holen würden, hoffte aber, mit Dr. Huntleys Unterstützung Angst und Panik auf ein Minimum begrenzen und den Betrieb bis zum Ende der Sommerferien aufrechterhalten zu können. Das hatte er Bucky anvertraut, als er vom Krankenhaus zurückgekehrt war, und ihn noch einmal daran erinnert, er solle niemandem etwas sagen. Er hatte berichtet, Donalds Zustand habe sich weiter verschlechtert – er habe inzwischen auch starke Muskel- und Gelenkschmerzen und werde wahrscheinlich eine eiserne Lunge brauchen.

Seine Eltern seien gekommen, aber er befinde sich auf der Isolierstation, und wegen der Ansteckungsgefahr hätten sie ihn noch nicht besuchen können. Man habe ihm nur gesagt, dass seine Eltern da seien. Die Ärzte seien überrascht über die Geschwindigkeit, mit der sich nach den anfänglichen Grippesymptomen die lebensgefährlichste Form dieser Krankheit entwickelt habe.

Das alles erzählte Bucky Marcia, als sie auf der Insel waren.

Sie schnappte nach Luft. Sie saß auf der Decke und schlug die Hände vor das Gesicht. Bucky ging auf der Lichtung auf und ab und fand noch nicht die Kraft, ihr auch den Rest zu sagen. Die Nachricht von Donalds Erkrankung war schwer genug für sie – er wollte sie nicht im nächsten Atemzug mit seinen eigenen Sorgen belasten.

»Ich muss mit meinem Vater sprechen«, sagte sie mit Nachdruck. »Ich muss ihn anrufen.«

»Warte doch, bis Mr. Blomback es bekanntgegeben hat.«

»Er hätte es längst bekanntgeben sollen«, sagte sie. »Bei so etwas darf man keine Zeit verlieren.«

»Du meinst, er sollte das Camp schließen?«

»Das will ich meinen Vater fragen. Ach, Bucky, das ist alles so schrecklich. Was ist mit den anderen Jungen in deiner Hütte?«

»Bis jetzt geht es allen gut.«

»Und was ist mit dir?«, fragte sie.

»Mir geht's prima«, sagte er. »Vor kurzem noch habe ich mit Donald Turmspringen geübt. Ich habe ihm Tipps gegeben. Er war bei bester Gesundheit. Ich hätte mir keinen robusteren Jungen vorstellen können.«

»Wann war das?«

»Vor etwa einer Woche. Nach dem Abendessen. Es war wahrscheinlich ein Fehler, ein schlimmer Fehler. Es war wohl schon zu kühl.«

»Ach, Bucky, es war nicht dein Fehler. Das Ganze ist so beängstigend. Ich habe Angst um dich. Ich habe Angst um meine Schwestern. Ich habe Angst um die anderen Kinder im Camp. Ich habe Angst um mich. Es ist ja nicht bloß irgendein Fall. Es ist ein Fall in einem Ferienlager voller Kinder. Das ist wie ein brennendes Streichholz in einem ausgetrockneten Wald. Hier ist ein Fall hundertmal gefährlicher als in der Stadt.«

Sie blieb sitzen, während er weiterhin auf und ab ging. Er hatte Angst, ihr zu nahe zu kommen, denn er hatte Angst, sie anzustecken – wenn er sie nicht bereits angesteckt hatte. Wenn er nicht schon alle angesteckt hatte! Die kleineren Jungen am See! Die Helfer am Badeplatz! Die Zwillinge, die er jeden Abend am Eingang zum Speisepavillon mit einem Kuss begrüßte! Als er in seiner Erregung die Brille absetzte, um sich die Augen zu reiben, sahen die Birken ringsum im Mondlicht aus wie zahllose entstellte Gestalten. Mit einemmal wurde ihre Liebesinsel von den Geistern der Polio-Opfer heimgesucht.

»Wir müssen zurück«, sagte Marcia. »Ich muss meinen Vater anrufen.«

»Ich habe Mr. Blomback versprochen, dass ich es niemandem sagen würde.«

»Das ist mir egal. Ich muss mit meinem Vater sprechen. Schon aus Verantwortung für meine Schwestern. Ich muss ihm sagen, was passiert ist, und ihn fragen, was ich tun soll. Ich habe Angst, Bucky, große Angst. Ich dachte, die Polio würde nie bemerken, dass Kinder in diesem Wald sind – ich dachte, sie würde sie hier nicht finden. Ich dachte, wenn sie einfach im

Lager bleiben und nirgendwo anders hingehen, passiert ihnen nichts. Wie konnte die Krankheit sie hier finden?«

Er konnte es ihr nicht sagen. Sie war zu entsetzt. Und er war zu verwirrt von der Größe dessen, was geschah. Der Größe dessen, was bereits geschehen war. Der Größe dessen, was *er* getan hatte.

Marcia erhob sich und faltete die Decke zusammen, und dann schoben sie das Kanu ins Wasser und fuhren zurück zum Camp. Es war kurz vor zehn, und die Betreuer waren in den Hütten und sorgten dafür, dass die Kinder zu Bett gingen. In Mr. Blombacks Büro brannte Licht, doch der Rest des Camps wirkte verlassen. An der Telefonzelle stand keine Schlange. Morgen würde es eine geben, wenn alle wussten, was mit Donald Kaplow geschehen war und welche beängstigende Wendung das Leben im Camp genommen hatte.

Marcia schloss die Tür der Telefonzelle, so dass jemand, der zufällig in der Nähe war, nichts würde hören können, und Bucky stellte sich neben die Zelle, behielt Marcia im Auge und versuchte, aus ihren Reaktionen abzulesen, was Dr. Steinberg sagte. Ihre Stimme war gedämpft, und so hörte Bucky nur das Sirren der nächtlichen Insekten, das ihn an jenen so kurz zurückliegenden Abend in Newark erinnerte, als er mit Dr. Steinberg auf der hinteren Veranda seines Hauses gesessen und den köstlichen Pfirsich gegessen hatte.

Marcias Besorgnis schien abzunehmen, als sie die Stimme ihres Vaters hörte, und nach einigen Minuten ließ sie sich auf den kleinen Hocker in der Zelle sinken. Bucky hatte eigentlich am Mittag dieses Tages mit Carl nach Stroudsburg fahren und den Verlobungsring kaufen wollen, doch die Verlobung war jetzt vergessen. Marcia konnte an nichts anderes als die Polio denken, so wie es ihm den ganzen Sommer über gegangen war. Polio. Es gab kein Entkommen – nicht weil sie ihm von Newark in die Poconos gefolgt war, sondern weil er sie mitgebracht hatte. Wie hatte die Krankheit sie hier nur finden können, hatte Marcia gefragt. Indem sie einen Neuankömmling geschickt hatte, Marcias Freund! Er dachte an all die Jungen, die Kinderlähmung bekommen hatten, als er auf dem Sportplatz der Chancellor Avenue School gewesen war, er dachte daran, dass man Kenny Blumenfeld hatte festhalten müssen, damit er sich nicht auf Horace stürzte, und dann dachte er, dass Kenny nicht auf diesen harmlosen Idioten hätte losgehen sollen, um ihn umzubringen, sondern auf ihn, den verantwortlichen Erwachsenen.

Marcia öffnete die Tür und trat aus der Telefonzelle. Offenbar hatte das, was ihr Vater gesagt hatte, sie beruhigt. Sie umarmte Bucky und begann leise zu weinen. »Ich hatte solche Angst um meine Schwestern. Ich weiß, dass dir nichts passieren wird, denn du bist stark und gesund, aber ich habe mir solche Sorgen um die beiden Mädchen gemacht.«

»Was hat dein Vater gesagt?«, fragte er und hielt den Kopf so, dass er ihr nicht ins Gesicht atmete.

»Er hat gesagt, dass er Bill Blomback anrufen wird, dass es aber so aussieht, als würde der alles tun, was man tun kann. Er hat gesagt, wegen eines Poliofalls evakuiert man nicht zweihundertfünfzig Kinder. Die Kinder sollen einfach weitermachen wie bisher. Er sagt, dass viele Eltern wahrscheinlich ihre Kinder abholen werden, dass ich aber keinen Grund zur Panik habe und die Mädchen nicht beunruhigen soll. Er hat nach dir gefragt. Ich habe ihm gesagt, du bist ein Fels in der Brandung. Ach, Bucky, jetzt geht's mir besser. Er und meine Mutter wollen am Wochenende herkommen, anstatt an den Strand zu fahren. Sie wollen die Mädchen selbst beruhigen.«

»Gut«, sagte er, und obwohl er sie fest im Arm hielt, achtete er darauf, sie beim Abschied auf das Haar und nicht auf den Mund zu küssen – als würde das jetzt noch irgendeinen Unterschied machen.

Am nächsten Morgen schwang Mr. Blomback nach dem Frühstück die Kuhglocke, deren Läuten wichtige Bekanntmachungen ankündigte. Die Kinder verstummten, und er erhob sich. »Guten Morgen, Jungen und Mädchen. Heute morgen habe ich eine ernste Nachricht für euch«, sagte er ganz ruhig und ohne großen Nachdruck. »Sie betrifft den Gesundheitszustand eines unserer Betreuer, Donald Kaplow von der Comanche-Hütte. Donald ist vorgestern Nacht krank geworden und hatte gestern Morgen hohes Fieber. Mr. Cantor hat mich sofort benachrichtigt, und wir beschlossen, ihn nach Stroudsburg ins Krankenhaus zu bringen. Dort hat man Donald gründlich untersucht und festgestellt, dass er Polio hat. Seine Eltern sind aus Hazleton gekommen, um bei ihm zu sein. Er wird jetzt im Krankenhaus behandelt. Dr. Huntley, der Arzt unseres Camps, ist hier und möchte ein paar Worte an euch richten.«

Die Kinder und die Betreuer waren natürlich entsetzt zu erfahren, dass sich alles im Lager – und in ihrem Leben – mit einemmal verändert hatte, und warteten still darauf, was der Doktor zu sagen hatte. Er war ein freundlich wirkender, gelassener Mann mittleren Alters und seit Gründung des Camps der zuständige Arzt. Seine beruhigende, nüchterne Ausstrahlung wurde durch die randlose Brille, das schüttere weiße Haar und das offene, blasse Gesicht noch verstärkt. Im Gegensatz zu allen anderen Anwesenden trug er einen Anzug, ein weißes Hemd, eine Krawatte und schwarze Schuhe.

»Guten Morgen. Für diejenigen unter euch, die mich noch nicht kennen: Ich bin Dr. Huntley. Ich weiß, dass ihr, wenn ihr euch krank fühlt, eurem Betreuer Bescheid sagt, der dann mit euch zu Miss Rudko oder Miss Southworth, den Krankenschwestern des Camps, oder, falls nötig, zu mir geht. So sollte es auch in den kommenden Wochen sein. Wenn ihr irgendwelche Anzeichen von Krankheit feststellt, sagt ihr es wie sonst eurem Betreuer. Wenn ihr ein Kratzen im Hals habt, einen steifen Nacken, Übelkeit, sagt ihr es eurem Betreuer. Wenn ihr Kopfschmerzen habt oder euch fiebrig fühlt, sagt ihr es eurem Betreuer. Wenn ihr euch ganz allgemein nicht wohl fühlt, sagt ihr es eurem Betreuer. Er wird mit euch zu einer der Schwestern gehen, die euch untersuchen und mich benachrichtigen wird. Denn ich will, dass ihr alle gesund bleibt und die restlichen Wochen des Sommers genießt.«

Nach diesen wenigen beruhigenden Worten setzte Dr. Huntley sich wieder, und Mr. Blomback erhob sich abermals. »Ich werde im Lauf des Vormittags sämtliche Eltern anrufen und sie über die Lage informieren. Die Oberbetreuer kommen nach dem Frühstück in mein Büro«, verkündete er. »Für alle anderen war's das fürs erste. Das Tagesprogramm bleibt unverändert. Lauft los, viel Spaß – es ist ein herrlicher Tag.«

Marcia begab sich mit den drei anderen Oberbetreuern in Mr. Blombacks Büro, während Bucky, anstatt zum Badeplatz zu gehen, wie er es eigentlich vorgehabt hatte, zu seiner eigenen Überraschung Dr. Huntley nacheilte, der im Begriff war, in seinen am Fahnenmast geparkten Wagen zu steigen, um in die Stadt zurückzufahren.

Hinter ihm wurde sein Name gerufen. »Bucky! Warte! Warte auf uns!« Es waren die Steinberg-Zwillinge, die ihm nachrannten. »Warte!«

»Ich kann nicht – ich muss mit Dr. Huntley sprechen.«

»Bucky«, sagte eines der Mädchen und nahm seine Hand, »was sollen wir denn bloß tun?«

»Ihr habt doch gehört, was Mr. Blomback gesagt hat: Das Tagesprogramm bleibt unverändert.«

»Aber die Polio!« Als die beiden ihn umarmen und die Köpfe trostsuchend an seine breite Brust legen wollten, wich er unwillkürlich zurück, um nicht in die zwei identischen, von Panik gezeichneten Gesichter zu atmen.

»Macht euch keine Sorgen«, sagte er. »Dazu besteht überhaupt kein Grund. Sheila, Phyllis – ich muss mich beeilen, es ist wirklich sehr wichtig.« Er ließ sie, die sich aneinanderdrückten, ungetröstet stehen.

»Aber wir brauchen dich!«, rief ihm eine nach. »Marcia ist bei Mr. Blomback.«

»Heute Nachmittag!«, rief er zurück. »Versprochen! Wir sehen uns bald.«

Dr. Huntley hatte die Wagentür geöffnet und war im Begriff einzusteigen. »Dr. Huntley! Ich muss mit Ihnen reden! Ich habe die Aufsicht über den Badeplatz der Jungen. Bucky Cantor.«

»Ja, Bill Blomback hat Sie erwähnt.«

»Ich muss mit Ihnen reden, Dr. Huntley. Ich bin erst vergangenen Freitag von Newark hergekommen. Vorher habe ich auf einem Sportplatz im Viertel Weequahic gearbeitet, und dort gab es eine Polioepidemie. Donald und ich haben nach dem Essen am Sprungturm trainiert. Wir haben jeden Tag beim

Mittagessen nebeneinander gesessen. In der Hütte waren wir auf engem Raum. In der Indianernacht saß er neben mir. Und jetzt hat er Kinderlähmung. Könnte es sein, dass er sie von mir hat, Dr. Huntley? Und dass ich auch andere anstecke? Wäre das möglich?«

Dr. Huntley war ausgestiegen, um die verzweifelten Worte, die dieser gesund und stark wirkende junge Mann hervorsprudelte, besser hören zu können. »Wie geht es Ihnen?«, fragte er.

»Ich fühle mich gut.«

»Nun, es besteht die geringe Möglichkeit, dass Sie ein infizierter, aber gesunder Überträger sind. Das wäre allerdings äußerst ungewöhnlich. Im Allgemeinen entspricht das virulente auch dem klinischen Stadium. Aber um Sie zu beruhigen und hundert Prozent sicher zu gehen, sollten wir bei Ihnen eine Rückenmarkspunktion vornehmen und etwas Flüssigkeit zur Untersuchung entnehmen. Gewisse Veränderungen der Rückenmarksflüssigkeit sind ein Anzeichen für Polio. Das sollten wir am besten sofort tun, damit Sie sich keine Sorgen mehr machen müssen. Sie können mit mir zum Krankenhaus fahren, und anschließend rufen wir Carl an, damit er Sie abholt.«

Bucky rannte zum Badeplatz, sagte den älteren Betreuern, er werde heute Morgen nicht da sein, setzte einen von ihnen bis zu seiner Rückkehr als seinen Vertreter ein und eilte dann zurück zu Dr. Huntley, um mit ihm nach Stroudsburg zu fahren. Wenn die Untersuchung doch nur ergab, dass ihn keine Schuld traf! Wenn sich doch nur herausstellte, dass ihm nichts vorzuwerfen war! Sobald die Untersuchung vorüber und alles in Ordnung war, würde er auf dem Rückweg zum Lager in das kleine Juweliergeschäft in Stroudsburg gehen und den Verlobungsring für Marcia kaufen. Er hoffte, das Geld würde für einen echten Stein reichen.

Später am Tag begannen die Wagen einzutreffen, die Kinder abholten. Das ging bis in die frühen Abendstunden und setzte sich am nächsten Tag fort, so dass achtundvierzig Stunden nach Mr. Blombacks Bekanntmachung, dass einer der Betreuer an Polio erkrankt sei, mehr als hundert der insgesamt zweihundertfünfzig Kinder von ihren Eltern abgeholt worden waren. Am Tag danach stellte man bei zwei anderen Jungen aus Buckys Hütte – einer davon war Jerome Hochberger, der Junge, der bei der Indianernacht den Bären gespielt hatte – Polio fest, und das Lager wurde umgehend geschlossen. Weitere neun Kinder erkrankten erst zu Hause und mussten in Krankenhäuser eingeliefert werden, darunter auch Marcias Schwester Sheila.

3 Wiedersehen

MR. CANTOR TAUCHTE nie wieder in unserem Viertel auf. Das
Untersuchungsergebnis des Krankenhauses in Stroudsburg
war positiv, und er wurde, obwohl er für weitere achtundvierzig Stunden keinerlei Symptome zeigte, sofort auf die
Isolierstation gebracht, wo er keinen Besuch haben durfte.
Und dann brach die Krankheit schließlich aus, mit entsetzlichen Kopfschmerzen, Erschöpfung, schwerer Übelkeit, hohem Fieber und starken Muskelschmerzen, nach weiteren achtundvierzig Stunden gefolgt von Lähmungserscheinungen. Es
dauerte drei Wochen, bis er keine Katheter und Einläufe
mehr brauchte und man ihn in ein oberes Stockwerk verlegte,
wo seine Arme und Beine, die anfangs gelähmt waren, mit
Packungen aus in Dampf erhitzter Wolle behandelt wurden.
Täglich gab es vier solcher qualvoller Anwendungen, die vier
bis sechs Stunden dauern konnten. Glücklicherweise war die
Atemmuskulatur nicht betroffen, so dass ihm die eiserne
Lunge erspart blieb – eine Möglichkeit, die er mehr fürchtete
als alles andere. Als man ihm sagte, Donald Kaplow befinde
sich im selben Gebäude wie er und werde mittels einer eisernen Lunge am Leben erhalten, erfüllte ihn das mit Trauer und
Schmerz. Donald der Turmspringer, Donald der Diskuswerfer, Donald der zukünftige Pilot konnte seine Glieder nicht

mehr bewegen und war zum Atmen auf eine Maschine angewiesen!

Schließlich wurde Mr. Cantor in einem Krankenwagen zur Rehabilitation nach Philadelphia gebracht, wo die Epidemie ebenfalls wütete. Die Stationen im Sister Kenny Institute waren so belegt, dass er von Glück sagen konnte, ein Bett bekommen zu haben. Dort wurden weiterhin warme Packungen verabreicht, und es gab lange, anstrengende Behandlungen, bei denen die kontrahierten Muskeln der Glieder und des Rückens, die infolge der Lähmung völlig verkrampft waren, von Pflegern schmerzhaft gedehnt und gestreckt wurden, um sie »umzuerziehen«. Er verbrachte vierzehn Monate in diesem Zentrum und konnte anschließend den rechten Arm voll und die Beine teilweise gebrauchen; die Torsion der Lendenwirbelsäule musste einige Jahre später operativ durch eine Knochenverpflanzung und Stahlklammern an den Wirbeln korrigiert werden. Nach dieser Operation verbrachte er sechs Monate in einem Gipsbett, Tag und Nacht gepflegt von seiner Großmutter. In diesem Rehabilitationszentrum war er, als im April 1945 Präsident Roosevelt überraschend starb und das ganze Land trauerte. Dort war er, als Deutschland im Mai kapitulierte und im August die beiden Atombomben über Hiroshima und Nagasaki abgeworfen wurden und Japan wenige Tage später um Frieden bat. Der Zweite Weltkrieg war vorüber, sein Freund Dave würde nach beinahe vier Jahren unversehrt zurückkehren, das Land jubelte, und er lag noch immer im Krankenhaus, verkrüppelt durch Polio.

Im Rehabilitationszentrum war er einer der wenigen, die nicht bettlägerig waren. Nach einigen Wochen bekam er einen Rollstuhl, auf den er, als er nach Newark zurückkehrte, zunächst angewiesen war. Dort blieb er in ambulanter Behandlung und konnte schließlich wieder alle Muskeln seines rechten Beins bewegen. Die Rechnungen waren astronomisch hoch – es waren tausende und abertausende von Dollars –, doch sie wurden vom Sister Kenny Institute und dem March of Dimes bezahlt.

Er unterrichtete nie mehr Sport an der Chancellor Avenue School, er führte nicht mehr die Aufsicht über den Sportplatz, und ebenso wenig verwirklichte er seinen großen Traum, Leichtathletiktrainer an der Weequahic Highschool zu werden. Er unterrichtete gar nicht mehr, und nach einigen missglückten Anläufen – zunächst arbeitete er als Gehilfe in dem Gemüseladen an der Avon Avenue, der einst seinem Großvater gehört hatte, und später, als er aufgrund seiner Behinderung keine andere Stelle finden konnte, für ein paar Monate an einer Tankstelle an der Springfield Avenue, wo er ganz anders war als seine primitiven Kollegen und manche Kunden ihn »Krüppel« nannten – legte er die Prüfung für den öffentlichen Dienst ab. Weil das Ergebnis sehr gut war und er einen Collegeabschluss besaß, bekam er eine Bürostelle im Hauptpostamt und verdiente genug für sich und seine Großmutter.

Ich traf ihn 1971, Jahre nachdem ich mein Architekturstudium beendet und eine eigene Firma schräg gegenüber dem Hauptpostamt von Newark eröffnet hatte. Möglicherweise waren wir uns auf der Broad Street schon hundertmal begegnet, als ich ihn eines Tages schließlich erkannte.

Ich war einer der Jungen vom Sportplatz gewesen, die im Sommer '44 Kinderlähmung bekommen hatten, und hatte ein Jahr im Rollstuhl sitzen müssen, bis ich nach intensiver Rehabilitation lernte, mich mit geschienten Beinen, einer Krücke und einem Stock fortzubewegen, wie ich es bis heute tue. Etwa zehn Jahre vor diesem zufälligen Zusammentreffen hatte ich mich, nachdem ich ein Praktikum bei einem Architekturbüro in der Innenstadt gemacht hatte, mit einem Ingenieur zusammengetan, der wie ich in seiner Kindheit Polio bekommen hatte, und eine Firma gegründet. Unsere Spezialität ist der behindertengerechte Umbau von Wohnungen und Häusern, und unser Angebot reicht vom Anbau zusätzlicher Räume bis hin zur Installation von Haltegriffen, absenkbaren Kleiderstangen und leichter bedienbaren Lichtschaltern. Wir entwerfen und bauen Rampen und Treppenlifts, wir verbreitern Türen und nehmen Veränderungen in Bädern, Küchen und Schlafzimmern vor – alles, um das Leben für Menschen, die wie mein Partner auf einen Rollstuhl angewiesen sind, leichter zu machen. Diese Umbauten können recht teuer sein, doch wir tun unser Bestes, die Kalkulationen nicht zu überschreiten und die Kosten niedrig zu halten, und das ist, neben der Qualität unserer Arbeit, ein Hauptgrund für unseren Erfolg. Der Rest war Glück und die richtige Wahl des Zeitpunkts: Als man begann, den besonderen Bedürfnissen Behinderter Aufmerksamkeit zu schenken, war unsere Firma die erste im dicht besiedelten Norden von New Jersey, die darauf spezialisiert war.

Manchmal hat man Glück und manchmal eben nicht. Jeder Lebensweg ist dem Zufall ausgeliefert; vom Augenblick der Zeugung an regiert der Zufall – die Tyrannei der Umstände – alles. Ich glaube, was Mr. Cantor meinte, wenn er das schmähte, was er als Gott bezeichnete, war eigentlich die Macht des Zufalls.

Mr. Cantors linker Arm war verkümmert, er konnte die linke Hand nicht gebrauchen, und weil im linken Bein nur ein

Teil der Muskeln arbeitete, hinkte er deutlich. Vor einigen Jahren waren sowohl der Ober- als auch der Unterschenkel mit einemmal noch schwächer geworden, und zum ersten Mal seit seiner Rehabilitation vor beinahe dreißig Jahren hatte er heftige Schmerzen in dem Bein. Daher war er nach einer gründlichen ärztlichen Untersuchung zur Prothesenwerkstatt des Krankenhauses gegangen und hatte eine Beinschiene anfertigen lassen, die er unter der Hose tragen konnte. Das half zwar nicht gegen die Schmerzen, verhalf ihm aber in Verbindung mit einer Krücke zu Gleichgewicht und Stabilität. Wenn der Verfall sich fortsetzte – und das kommt bei Polio-Opfern, die am sogenannten Post-Polio-Syndrom leiden, oft vor –, würde er sich, wie er sagte, bald nur noch in einem Rollstuhl fortbewegen können.

Wir begegneten uns eines Mittags an einem Frühlingstag des Jahres 1971 auf der belebten Broad Street, etwa in der Mitte zwischen unseren jeweiligen Arbeitsplätzen. Ich erkannte ihn, obwohl er inzwischen fünfzig war und einen recht großen Schnurrbart trug. Sein einst schwarzes Haar war nicht mehr militärisch kurz geschnitten, sondern erhob sich wie ein weißes Dickicht auf seinem Kopf, und auch der Schnurrbart war weiß. Und natürlich hatte er auch nicht mehr diesen athletischen Gang mit leicht einwärts gekehrten Zehen. Die scharfen Kanten in seinem Gesicht waren abgemildert von den Pfunden, die er zugelegt hatte, und daher sah er nicht mehr annähernd so gut aus wie als junger Mann. Damals hatte der Schädel unter der gebräunten Haut gewirkt, als wäre er mittels einer Maschine auf den Millimeter genau zurechtgefräst worden; es war der Kopf eines jungen Mannes gewesen, der selbstbewusst seinen Platz in der Welt einnahm. Dieses ursprüngliche Gesicht war inzwischen in einem anderen, fleischigeren verborgen – es war eine Verhüllung, wie Menschen sie häufig sehen, wenn sie resigniert ihr alterndes Spiegelbild betrachten. Nichts erinnerte mehr an den kompakten Athleten; die Muskeln waren geschmolzen, und die Gedrungenheit hatte sich verstärkt. Jetzt war er nur noch stämmig.

Ich war inzwischen neununddreißig, ein kleiner, dicker, bärtiger Mann, der wenig bis keine Ähnlichkeit mit dem zarten Jungen von früher hatte. Als ich ihn erkannte, war ich so aufgeregt, dass ich ihm nachrief: »Mr. Cantor! Mr. Cantor! Ich bin Arnold Mesnikoff. Vom Sportplatz der Chancellor Avenue School. Alan Michaels war mein bester Freund. Er hat in der Schule neben mir gesessen.« Obwohl ich ihn nie vergessen hatte, war mir Alans Name in den vielen Jahren seit seinem Tod in jenem Jahrzehnt, als Krieg, Atombombe und Polio uns als die größten Bedrohungen erschienen waren, nicht mehr über die Lippen gekommen.

Nach dieser ersten berührenden Begegnung auf der Straße trafen wir uns einmal pro Woche zum Mittagessen in einem nahegelegenen Imbiss, und so erfuhr ich seine Geschichte. Wie sich herausstellte, war ich der erste, dem er sie ganz erzählte, vom Anfang bis zum Ende und – da er mit jeder Woche mehr Vertrauen zu mir fasste – ohne viel auszulassen. Ich tat mein Bestes, genau zuzuhören, während er in Worte fasste, was ihn den größten Teil seines Lebens beschäftigt hatte. Dieses Reden schien ihm weder angenehm noch unangenehm zu sein – es war vielmehr ein Hervorsprudeln, das er bald nicht mehr kontrollieren konnte, es war weder Entlastung noch Trost, sondern der schmerzhafte Besuch, den ein Verbannter seiner unerreichbaren Heimat abstattet, dem geliebten Geburtsort, dem Schauplatz seines Verderbens. Auf dem Sportplatz hatten wir nicht sehr viel miteinander zu tun gehabt – ich war ein stiller, schüchterner, schmächtiger Junge und nie gut in Sport –, doch die Tatsache, dass ich in jenem schrecklichen Sommer einer der Jungen vom Sportplatz gewesen war, dass ich der beste Freund des Jungen gewesen war, den er besonders gemocht hatte, und wie Alan und er selbst Polio bekommen hatte, machte ihn auf eine schonungslose Weise freimütig, die mich, den Zuhörer, den er nur als Kind gekannt hatte, manchmal verblüffte, den Zuhörer, der ihm jetzt das Vertrauen vermittelte, das er damals mir und den anderen vermittelt hatte.

Im Großen und Ganzen umgab ihn, während er über die Dinge sprach, über die er jahrelang geschwiegen hatte, die Aura einer unauslöschlichen Niederlage – er war nicht nur durch die Polio verkrüppelt, sondern auch demoralisisert durch jahrelange Scham. Er war das genaue Gegenteil von Franklin D. Roosevelt, dem berühmtesten Polio-Opfer des Landes – Bucky hatte nicht triumphiert, sondern war besiegt worden. Die Lähmung und alles, was sie nach sich zog, hatten sein männliches Selbstbewusstsein irreparabel beschädigt, und so hatte er sich von diesem Lebensbereich vollkommen abgewendet. Er betrachtete sich als Neutrum – für einen Mann, der erwachsen geworden war in einer Zeit von Leid und Kampf, in der Männer furchtlose Verteidiger von Heimat und Nation zu sein hatten, war das eine bestürzende Selbsteinschätzung. Als ich ihm erzählte, ich hätte eine Frau und zwei Kinder, sagte er, er habe es nach seiner Lähmung nie über sich gebracht, eine Beziehung zu einer Frau zu haben, geschweige denn zu heiraten. Ihn erbitterte nicht nur, was die Polio seinem Körper angetan hatte, sondern auch der Körper selbst, und er zeigte seinen verkümmerten Arm und das geschwächte Bein niemandem außer einem Arzt oder – als sie noch gelebt hatte – seiner Großmutter, die ihn nach seiner Entlassung aus dem Rehabilitationszentrum in Philadelphia hingebungsvoll gepflegt hatte und in den vierzehn Monaten seines Aufenthalts jeden Sonntag Nachmittag mit dem Zug dorthin gefahren war, um ihn besuchen, obwohl die Schmerzen in ihrer Brust auf ein Herzleiden zurückzuführen waren.

Seine Großmutter war längst gestorben, doch bis zu den Unruhen in Newark im Jahr 1967 – bei denen ein Haus in der Straße niedergebrannt worden war und jemand von einem Hausdach in der Nähe Schüsse abgefeuert hatte – war er in der Barclay Street unweit der Avon Avenue geblieben. Er musste mühsam die Außentreppe hinaufsteigen, die er früher drei Stufen auf einmal hinausgesprungen war, und das tat er also, ganz gleich, wie rutschig und vereist die Stufen waren, denn er wollte in der Wohnung sein, wo er die grenzenlose Liebe seiner Großmutter erfahren hatte und sich am besten an ihre immer freundliche, mütterliche Stimme erinnern konnte. Obgleich oder vielleicht gerade weil es in seinem Leben keinen geliebten Menschen mehr gab, konnte er ein klares Bild seiner Großmutter heraufbeschwören, wie sie einmal die Woche auf der Treppe kniete und sie mit Wurzelbürste und Seifenlauge putzte oder wie sie am Kohlenherd stand und für die kleine Familie kochte. Es war das Äußerste, was er sich an tröstlichen Gedanken über Frauen zugestand.

Er war, seit er im Juli 1944 nach Camp Indian Hill aufgebrochen war, nie mehr in Weequahic gewesen. Er hatte weder den Sportplatz noch die Sporthalle der Chancellor Avenue School wiedergesehen.

»Warum nicht?«, fragte ich.

»Warum sollte ich? Ich hab die Seuche nach Weequahic eingeschleppt. Ich war der Überträger auf dem Sportplatz. Ich war der Überträger in Indian Hill.«

Dieser Gedanke bestürzte mich. Ich war vollkommen unvorbereitet auf diese Unnachsichtigkeit.

»Waren Sie das wirklich?«, sagte ich. »Dafür gibt es doch keinen Beweis.«

»Es gibt auch keinen Beweis dafür, dass ich es nicht war«, erwiderte er und blickte dabei, wie meist bei unseren mittäglichen Gesprächen, entweder auf einen Punkt in unbestimmter Ferne oder auf seinen Teller. Er wollte anscheinend nicht, dass ich oder irgendjemand sonst, ihm forschend in die Augen sah.

»Sie haben einfach Kinderlähmung bekommen«, sagte ich, »Sie haben sie bekommen wie wir anderen, die das Pech hatten, sich elf Jahre zu früh anzustecken. Mit der Entwicklung des Impfstoffs hat die Medizin des zwanzigsten Jahrhunderts einen enormen Fortschritt gemacht, nur leider kam er für uns zu spät. Heutzutage können Kinder die Sommerferien sorglos genießen. Die Kinderlähmung ist praktisch ganz verschwunden. Heute ist man ihr nicht mehr so hilflos ausgeliefert wie damals. Aber was Sie betrifft, ist es wahrscheinlicher, dass Sie die Polio von Donald Kaplow bekommen haben als umgekehrt.«

»Und was ist mit Sheila? Wer hat sie angesteckt? Das alles ist schon viel zu lange her, um es noch einmal durchzugehen«, sagte er, nachdem er bereits praktisch alles mit mir durchgegangen war. »Was geschehen ist, ist geschehen«, sagte er. »Was ich getan habe, habe ich getan. Was ich nicht habe, kann ich entbehren.«

Aber ich wollte es nicht dabei belassen. »Aber selbst wenn es möglich wäre, dass Sie ein Überträger waren, dann waren Sie es unwissentlich. Sie haben doch hoffentlich nicht die ganze Zeit mit Schuldgefühlen gelebt und sich verachtet und bestraft für etwas, das Sie nicht getan haben. Sie fällen ein zu hartes Urteil.«

Es trat eine Stille ein, in der er auf einen Punkt weit hinter meinem Kopf starrte, einen Punkt, der vermutlich das Jahr 1944 war.

»Wollen Sie wissen, womit ich den größten Teil dieser Jahre gelebt habe? Mit Marcia Steinberg. Ich habe vieles hinter mir gelassen, aber mit ihr ist mir das nie ganz gelungen. Nach all den Jahren glaube ich sie manchmal auf der Straße zu sehen.«

»Sie war damals zweiundzwanzig?«

Er nickte, und um sein Geständnis zu vollenden, sagte er: »Besonders an Sonntagen will ich nicht an sie denken, und doch denke ich dann am meisten an sie. Und es hat gar keinen Zweck, dagegen anzugehen.«

Manche Leute hat man vergessen, sobald man ihnen den Rücken kehrt, aber bei Bucky und Marcia war es nicht so. Die Erinnerung an Marcia war geblieben.

Er griff mit der unversehrten Hand in die Jackentasche, holte einen Umschlag hervor und reichte ihn mir. Die Anschrift lautete »Eugene Cantor, 17 Barclay Street, Newark«, und abgestempelt war er am 2. Juli 1944 in Stroudsburg.

»Nur zu«, sagte er. »Ich habe ihn mitgebracht, damit Sie ihn lesen. Ich habe ihn ein paar Tage, nachdem sie ihren Job als Betreuerin angetreten hatte, bekommen.«

Der Umschlag enthielt einen kleinen, blassgrünen Bogen Briefpapier, auf dem in sauberer, eleganter Schreibschrift stand:

Mein Mann mein Mann mein Mann mein Mann mein Mann
mein Mann mein Mann mein Mann mein Mann mein Mann
mein Mann mein Mann mein Mann mein Mann mein Mann
mein Mann mein Mann mein Mann mein Mann mein Mann
mein Mann mein Mann

Die ganze Seite und die halbe Rückseite waren wie auf unsichtbaren geraden Linien mit diesen beiden Worten beschrieben, und darunter standen nur ihre Initiale, ein großes, wohl-
geformtes M mit graziösen Auf- und Abstrichen, sowie der
Zusatz: »(wie in Mein Mann)«.

Ich steckte den Briefbogen wieder in den Umschlag und
gab ihn ihm zurück.

»Eine Zweiundzwanzigjährige schreibt an ihren ersten Geliebten. Sie müssen sich sehr gefreut haben.«

»Ich habe ihn bekommen, als ich von der Arbeit nach Hause
kam. Beim Abendessen hatte ich ihn in der Tasche. Ich habe
ihn mit ins Bett genommen. Ich hielt ihn in der Hand, als ich
einschlief. Dann weckte mich das Telefon. Meine Großmutter
schlief auf der anderen Seite des Flurs. Sie war beunruhigt.
›Wer kann das denn sein, um diese Uhrzeit?‹ Ich ging in die
Küche, wo das Telefon stand. Nach der Küchenuhr war es
kurz nach Mitternacht. Marcia rief von der Telefonzelle hinter Mr. Blombacks Büro an. Sie hatte schon im Bett gelegen,
aber nicht einschlafen können, und so war sie wieder aufge-
standen, hatte sich angezogen und war hinaus in die Dunkelheit gegangen, um mich anzurufen. Sie wollte wissen, ob ich
ihren Brief erhalten hätte. Ich sagte Ja. Ich sagte, ich sei zwei-
hundertachtzehnmal ihr Mann – darauf könne sie sich verlassen. Ich sagte, ich sei für immer ihr Mann. Und sie sagte, sie

wolle ihrem Mann zum Einschlafen etwas vorsingen. Ich saß in meiner Unterwäsche am Küchentisch und schwitzte wie ein Schwein. Der Tag war wieder sehr heiß gewesen, und bis Mitternacht hatte es kaum abgekühlt. Im Haus gegenüber waren alle Lichter aus. Ich glaube, ich war der einzige in der ganzen Straße, der noch wach war.«

»Hat sie Ihnen etwas vorgesungen?«

»Ein Schlaflied. Ich kannte es nicht, aber es war ein Schlaflied. Sie hat ganz, ganz leise gesungen. Da war es, das Lied, am Telefon. Wahrscheinlich kannte sie es aus ihrer Kindheit.«

»Dann hatten Sie also auch eine Schwäche für ihre sanfte Stimme.«

»Ich war verblüfft. Verblüfft über so viel Glück. Ich war so verblüfft, dass ich ins Telefon flüsterte: ›Bist du wirklich so wunderbar wie jetzt?‹ Ich konnte nicht glauben, dass eine solche Frau existierte. Ich war der glücklichste Mann der Welt. Ich war nicht aufzuhalten. Verstehen Sie? Bei all ihrer Liebe – was hätte mich aufhalten sollen?«

»Und dann haben Sie sie verloren. Wie kam das? Das haben Sie mir noch gar nicht erzählt.«

»Nein, das habe ich Ihnen noch nicht erzählt. Ich ließ nicht zu, dass Marcia mich besuchte. So kam das. Aber vielleicht habe ich Ihnen schon zuviel erzählt.« Plötzlich war ihm aus Scham über diese offenbarten Gefühle unbehaglich zumute, und er errötete. »Wie bin ich darauf gekommen? Durch diesen Brief. Ich habe den Brief gefunden. Ich hätte ihn nie suchen sollen.«

Er stützte den Ellbogen auf den Tisch, barg das Gesicht in seiner gesunden Hand und rieb mit den Fingerspitzen über die geschlossenen Augen. Wir waren am schwierigsten Teil der Geschichte angelangt.

»Wie ist Ihre Beziehung zu Ende gegangen?«, fragte ich.

»Als ich nicht mehr auf der Isolierstation war, fuhr sie nach Stroudsburg, um mich zu besuchen, aber ich wollte sie nicht sehen. Sie hinterließ mir eine Nachricht, in der stand, ihre Schwester sei an einer milden, nicht lähmenden Form von Polio erkrankt und nach drei Wochen vollkommen wiederhergestellt gewesen. Das war eine Erleichterung, aber dennoch wollte ich die Beziehung zu ihrer Familie nicht wieder aufnehmen. Als ich nach Philadelphia verlegt wurde, versuchte Marcia ein zweites Mal, mich zu besuchen. Diesmal erlaubte ich es. Wir hatten einen schrecklichen Streit. Ich wusste gar nicht, dass sie dazu imstande war – ich hatte sie noch nie so wütend gesehen. Danach ist sie nie mehr gekommen, und wir haben nie wieder Kontakt gehabt. Ihr Vater hat in Philadelphia angerufen, aber ich wollte nicht mit ihm sprechen. Als ich in der Esso-Tankstelle an der Springfield Avenue gearbeitet habe, hat er aus heiterem Himmel einmal dort getankt. Das war ein weiter Weg für ihn.«

»War er wegen ihr gekommen? Wollte er Sie überreden, zurückzukommen?«

»Ich weiß es nicht. Schon möglich. Ich habe einen Kollegen zur Pumpe geschickt und mich versteckt. Ich wusste, dass ich gegen Dr. Steinberg nichts hätte ausrichten können. Ich weiß nicht, was aus seiner Tochter geworden ist. Ich will es auch nicht wissen. Mögen sie und der Mann, den sie geheiratet hat, und ihre Kinder glücklich und gesund sein. Wir wollen hoffen, dass ihr gnädiger Gott sie mit all dem gesegnet hat, bevor er ihnen das Messer in den Rücken stößt.«

Für einen wie Bucky Cantor war das ein erstaunlich strenger Satz, und für einen Augenblick schien er selbst ein wenig verwirrt.

»Ich war ihr Freiheit schuldig, und die habe ich ihr gegeben«, sagte er schließlich. »Ich wollte Marcia nicht an mich ketten. Ich wollte ihr Leben nicht zerstören. Sie hatte sich nicht in einen Krüppel verliebt, und sie sollte nicht an einen gekettet sein.«

»Aber hätten Sie diese Entscheidung nicht ihr überlassen sollen?«, fragte ich. »Bestimmte Frauen finden versehrte Männer manchmal sehr attraktiv. Das weiß ich aus Erfahrung.«

»Marcia Steinberg war eine liebenswerte, naive, wohlerzogene junge Frau mit freundlichen, verantwortungsbewussten Eltern, die sie und ihre Schwestern Höflichkeit und Zuvorkommenheit gelehrt hatten«, sagte Bucky. »Sie war eine junge Erstklasslehrerin, noch nicht trocken hinter den Ohren. Eine zarte junge Frau, noch kleiner als ich. Es hätte ihr nichts geholfen, dass sie intelligenter war als ich – sie hätte nicht gewusst, wie sie sich aus dieser misslichen Lage hätte befreien sollen. Also habe *ich* es getan. Ich habe getan, was getan werden musste.«

»Sie haben oft darüber nachgedacht«, sagte ich. »Immerzu, wie es scheint.«

Es war eines der wenigen Male bei unseren Treffen, dass er lächelte – es war ein Lächeln, das große Ähnlichkeit mit einem Stirnrunzeln hatte und eher müde als froh wirkte. Es gab in ihm keine Leichtigkeit. Sie war vollkommen verschwunden, ebenso wie die Energie und der Eifer, die ihn einst ausgemacht hatten. Und wie die athletische Kraft. Nicht nur, dass ein Arm und ein Bein nutzlos waren – auch seine ursprüngliche Persönlichkeit, diese vitale Zielstrebigkeit, die einen in dem Augenblick, da man ihn kennenlernte, geradezu ansprang, schien fort zu sein, entfernt wie die dünne Rinde, die er in jener ersten Nacht mit Marcia auf der Insel vom Stamm einer Birke abgeschält hatte. Wochenlang trafen wir uns regelmäßig zum Mittagessen, und nicht ein einziges Mal hellte sich seine Stimmung auf, nicht einmal, als er sagte: »Dieses Lied, das ihr so gefiel – *I'll Be Seeing You* –, das habe ich auch nie vergessen können. Es ist kindisch, es ist kitschig, aber es sieht so aus, als würde ich mich den Rest meines Lebens daran erinnern. Ich weiß nicht, was passieren würde, wenn ich dieses Lied noch einmal hören würde.«

»Sie würden weinen.«

»Könnte sein.«

»Sie hätten alles Recht dazu«, sagte ich. »Jeder, der wie Sie einer so großartigen Partnerin entsagt hätte, wäre unglücklich.«

»Ach, mein lieber Freund«, sagte er mit mehr Gefühl als je zuvor, »ich hätte nie gedacht, dass es so enden würde. Niemals.«

»Als sie so wütend wurde, als sie Sie in Philadelphia besucht hat –«

»Ich habe sie danach nie wiedergesehen.«

»Das sagten Sie, ja. Aber was ist damals passiert?«

Er saß im Rollstuhl, erzählte er, es war ein herrlicher Samstag Mitte Oktober, noch warm genug, dass sie hinausgehen konnten – sie setzte sich auf eine Bank vor dem Sister Kenny Institute, unter den Ästen eines Baumes, dessen Blätter sich bereits verfärbten und zu Boden segelten –, aber doch so kühl, dass die Polioepidemie in den nordöstlichen Bundesstaaten endlich abgeklungen war. Bucky hatte Marcia seit fast drei Monaten nicht gesehen oder mit ihr gesprochen, und so konnte sie nicht wissen, wie verkrüppelt er war. Es hatte einen Briefwechsel gegeben, nicht zwischen Bucky und Marcia, sondern zwischen Bucky und Marcias Vater. Dr. Steinberg hatte ihm geschrieben, es sei seine Pflicht, Marcia zu empfangen, damit sie ihm persönlich sagen könne, was sie denke und empfinde. »Marcia und die Familie«, hatte Dr. Steinberg geschrieben, »haben von Ihnen etwas Besseres verdient.« Einem von Hand und auf Papier mit dem Briefkopf des Krankenhauses geschriebenen Brief von einem Mann mit Dr. Steinbergs Format hatte Bucky natürlich nichts entgegenzusetzen, und so wurden Datum und Uhrzeit von Marcias Besuch festgesetzt, und der Streit begann, kaum dass sie gekommen war und er sah, dass sie ihr Haar hatte wachsen lassen, seit sie einander zuletzt gesehen hatten, und jetzt fraulicher wirkte als im Camp, schöner als je zuvor. Sie trug Handschuhe und einen Hut, ganz die propere Lehrerin, in die er sich verliebt hatte.

Sie könne nichts sagen, was ihn dazu bringen werde, seinen Entschluss zu ändern, sagte er, so sehr er sich auch danach sehnte, die gesunde Hand auszustrecken und ihr Gesicht zu berühren. Statt dessen packte er mit der gesunden Hand den gelähmten Arm am Handgelenk und hob ihn auf Augenhöhe hoch. »Hier«, sagte er. »So sehe ich jetzt aus.«

Sie sagte nichts, aber sie zuckte auch nicht mit der Wimper. Nein, sagte er, er sei nicht mehr imstande, ein Ehemann und Vater zu sein, und es sei unverantwortlich von ihr, etwas anderes zu glauben.

»Unverantwortlich von *mir*?«, rief sie.

»Die edle Heldin zu sein. Ja.«

»Wovon redest du eigentlich? Ich versuche, niemand anders zu sein als der Mensch, der dich liebt und dich heiraten und deine Frau sein will.« Und dann hielt sie die kleine Rede, die sie sich zweifellos während der Zugfahrt zurechtgelegt hatte. »Bucky, es ist doch gar nicht so kompliziert. *Ich* bin nicht kompliziert. Weißt du noch? Weißt du noch, was ich im Juni zu dir gesagt habe, in der Nacht, bevor ich zum Camp gefahren bin? ›Wir werden es perfekt machen.‹ Und das werden wir auch. Daran hat sich nichts geändert. Ich bin bloß eine ganz normale Frau, die glücklich sein will. Und du machst mich glücklich. Du hast mich immer glücklich gemacht. Warum nicht auch jetzt?«

»Weil es nicht mehr die Nacht ist, bevor du zum Camp gefahren bist. Weil ich nicht mehr der Mensch bin, in den du dich verliebt hast. Wenn du das glaubst, machst du dir etwas vor. Du tust nur, was dein Gewissen dir sagt – das verstehe ich.«

»Gar nichts verstehst du! Du redest Unsinn! Du bist derjenige, der edel sein will, indem er sich weigert, mit mir zu sprechen und mich zu sehen. Indem er mir sagt, ich soll ihn in Ruhe lassen. Ach, Bucky, du bist so blind!«

»Marcia, heirate einen Mann, der nicht verkrüppelt ist, der gesund und stark ist und alles hat, was ein zukünftiger Vater haben muss. So intelligent und gebildet, wie du bist, kannst du jeden bekommen, einen Rechtsanwalt, einen Arzt. *Das* ist es, was du und deine Familie verdient haben. Und das sollst du bekommen.«

»Du machst mich so wütend, wenn du so redest! Nichts in meinem ganzen Leben hat mich je so wütend gemacht wie das, was du gerade tust! Ich kenne niemanden, der so viel Trost darin findet, sich selbst zu bestrafen!«

»Aber das tue ich doch gar nicht. Das ist eine absolute Entstellung dessen, was ich tue. Aber ich sehe die Folgen von dem, was geschehen ist, und du nicht. Du willst sie nicht sehen. Hör mir doch zu: Die Dinge sind nicht mehr so wie zu Beginn des Sommers. Sieh mich an. Der Unterschied könnte kaum größer sein. Hier.«

»Hör auf damit, bitte. Ich habe deinen Arm gesehen, und *es macht mir nichts aus*.«

»Dann sieh dir mein Bein an«, sagte er und zog ein Hosenbein seines Schlafanzugs hoch.

»Hör auf, ich bitte dich! Du denkst, es ist dein Körper, der entstellt ist, aber in Wirklichkeit ist es dein Geist!«

»Ein weiterer guter Grund, dir ein Leben mit mir zu ersparen. Die meisten Frauen wären entzückt, wenn ein Krüppel freiwillig aus ihrem Leben verschwinden würde.«

»Ich bin aber nicht wie die meisten Frauen! Und du bist nicht einfach ein Krüppel! Bucky, so warst du schon immer: Du konntest die Dinge noch nie mit dem richtigen Abstand betrachten – nie! Immer hältst du dich für verantwortlich, auch wenn du es *nicht* bist. Entweder der schreckliche Gott ist verantwortlich oder der schreckliche Bucky Cantor ist verantwortlich – in Wirklichkeit liegt die Veratwortung aber bei *keinem* von ihnen. Deine Haltung gegenüber Gott ist kindisch, einfach albern.«

»Hör zu, dein Gott gefällt mir nicht, also bring ihn nicht ins Spiel. Er ist zu gemein für meinen Geschmack. Er verbringt zuviel Zeit damit, Kinder zu töten.«

»Und auch das ist Unsinn! Dass du Polio hast, gibt dir nicht das Recht, lächerliche Dinge zu sagen. Du hast keine Ahnung, was Gott ist! Niemand hat eine Ahnung! Du klingst wie ein

Esel, und dabei bist du keiner. Du klingst, als wärst du dumm, und dabei bist du gar nicht dumm. Du klingst, als wärst du verrückt, und dabei bist du gar nicht verrückt. Du warst nie verrückt. Du warst vollkommen gesund. Gesund und stark und intelligent. Aber das hier …! Du verschmähst meine Liebe, du verschmähst meine Familie – ich weigere mich, bei diesem Wahnsinn mitzumachen!«

Ihr hartnäckiger Widerstand brach zusammen, und sie schlug die Hände vors Gesicht und begann zu schluchzen. Die anderen Patienten, die mit ihren Besuch auf nahegelegenen Bänken saßen oder in Rollstühlen auf dem gepflasterten Weg vor dem Institut vorbeigeschoben wurden, bemerkten die zierliche, hübsche, gut gekleidete junge Frau neben dem Patienten im Rollstuhl, die sichtlich von ihrem Kummer übermannt wurde.

»Du stellst mich vor ein Rätsel«, sagte sie unter Tränen. »Wenn du doch nur in den Krieg hättest ziehen können, wärst du vielleicht – ach, ich weiß nicht, was du wärst. Du wärst Soldat gewesen und hättest das alles, was immer es ist, vielleicht überwunden. Kannst du denn nicht glauben, dass ich dich liebe, ganz gleich, ob du Polio hast oder nicht? Kannst du nicht verstehen, dass es das Schlimmste wäre, was uns beiden passieren kann, wenn du dich mir entziehen würdest? Ich kann es nicht ertragen, dich zu verlieren – gibt es keine Möglichkeit, dir das begreiflich zu machen? Bucky, dein Leben kann so viel leichter sein, wenn du es nur zulässt. Wie kann ich dich überzeugen, dass wir gemeinsam weitergehen müssen? Du sollst mich nicht vor etwas bewahren, Herrgott. Du sollst nur tun, was du tun wolltest: mich heiraten!«

Aber er gab nicht nach, so sehr sie auch weinte und so echt

ihre Tränen sogar ihm erschienen. »Heirate mich«, sagte sie, und er konnte nur antworten: »Nein, das werde ich dir nicht antun«, und darauf konnte sie nur antworten: »Du tust mir nichts an – ich bin selbst verantwortlich für meine Entscheidungen!« Doch sein Widerstand war nicht zu brechen, nicht wenn seine letzte Gelegenheit, sich als integrer Mann zu erweisen, darin bestand, die tugendhafte junge Frau, die er aufrichtig liebte, davor zu bewahren, sich für den Rest ihres Lebens an einen Krüppel zu binden. Er konnte sich einen Rest seiner Ehre nur bewahren, indem er sich alles versagte, was er je hatte haben wollen – sollte er so schwach sein, seinen Entschluss zu revidieren, würde er seine endgültige Niederlage erleben. Das Wichtigste aber war: Wenn sie nicht bereits jetzt insgeheim erleichtert war, dass er sie zurückwies, wenn sie sich jetzt noch immer von ihrer liebevollen Unschuld – und ihrem in moralischen Dingen unnnachgiebigen Vater – davon abhalten ließ, die Wahrheit zu erkennen, so würde sie später zu einem anderen Urteil kommen, wenn sie eine Familie und ein eigenes Heim hatte, mit glücklichen Kindern und einem Mann, der gesund und unversehrt war. Ja, in nicht allzu ferner Zukunft würde der Tag kommen, da sie ihm dankbar dafür sein würde, dass er sie so unbarmherzig zurückgestoßen hatte. Dann würde sie erkennen, wie viel besser das Leben war, das er ihr gegeben hatte, indem er daraus verschwunden war.

Als er die Gechichte von seiner letzten Begegnung mit Marcia zu Ende erzählt hatte, fragte ich ihn: »Wie verbittert sind Sie eigentlich, Bucky?«

»Gott hat meine Mutter bei meiner Geburt getötet. Gott hat mir einen Vater gegeben, der ein Dieb war. Gott hat mir

Kinderlähmung gegeben, und ich habe sie an mindestens ein Dutzend Kinder weitergegeben, unter anderem an Marcias Schwester. Unter anderem vermutlich an Sie. Unter anderem an Donald Kaplow. Er ist im August 1944 im Krankenhaus von Stroudsburg gestorben, in einer eisernen Lunge. Wie verbittert sollte ich denn sein? Sagen Sie es mir.« Er sagte das mit beißendem Sarkasmus, in demselben Ton, in dem er erklärt hatte, Gott werde eines Tages auch Marcia verraten und ihr ein Messer in den Rücken stoßen.

»Es steht mir nicht zu, jemanden, der ein Opfer der Polio geworden ist, sei er nun jung oder alt, zu kritisieren, weil er den Schmerz einer unaufhörlichen Behinderung nicht ganz überwinden kann. Natürlich brütet man über diese Unaufhörlichkeit. Aber im Lauf der Zeit muss etwas hinzukommen. Sie sprechen von Gott. Glauben Sie noch immer an den Gott, den Sie schmähen?«, fragte ich.

»Ja. Irgendjemand muss das alles ja gemacht haben.«

»An Gott, den großen Verbrecher«, sagte ich. »Ist es das, woran Sie glauben? Aber wenn Gott der große Verbrecher ist, können Sie nicht ebenfalls der Verbrecher sein.«

»Wie Sie wollen – es ist ein medizinisches Rätsel. *Ich* bin ein medizinisches Rätsel«, sagte er und verwirrte mich. Meinte er vielleicht, das Ganze sei ein *theologisches* Rätsel? War dies seine Laienversion der gnostischen Doktrin, komplett mit einem bösen Demiurgen? Das Göttliche als Feind unserer Existenz? Zugegebenermaßen wog der Beweis seiner eigenen Erfahrungen schwer. Nur eine feindliche Gottheit konnte eine Krankheit wie Kinderlähmung erschaffen. Nur eine feindliche Gottheit konnte jemanden wie Horace erschaffen. Nur eine feindliche Gottheit konnte den Zweiten Weltkrieg erschaffen. Wenn man alles zusammennahm, sprach vieles für die Existenz einer feindlichen Gottheit. Und sie war allmächtig. Buckys Vorstellung von Gott, wie ich sie zu verstehen glaubte, war die von einem allmächtigen Wesen, auf dessen Natur und Absicht man nicht aus zweifelhaften biblischen Quellen, sondern ausschließlich aus unwiderleglichen, im Lauf eines Lebens im zwanzigsten Jahrhundert gesammelten historischen Beweisen schließen durfte. Seine Vorstellung von Gott war die von einem allmächtigen Wesen, das keine Dreifaltigkeit war wie im Christentum, sondern eine Zweifaltigkeit – die Vereinigung eines perversen Arschlochs mit einem bösartigen Genie.

Für mich als Atheisten war ein solcher Gott nicht lächerlicher als die Götter, an die Milliarden anderer Menschen glaubten, und was Buckys Auflehnung gegen ihn betraf, so fand ich sie absurd, einfach weil dazu gar keine Notwendigkeit bestand. Er konnte nicht akzeptieren, dass die Polioepidemie in Weequahic und Camp Indian Hill eine Tragödie war. Die Tragödie muss in Schuld verwandelt werden. Es muss eine Notwendigkeit geben für das, was geschieht. Eine Epidemie bricht aus, und er sucht nach dem Grund. Er muss fragen: Warum? Warum? Dass das Ganze sinnlos, zufällig, absurd und tragisch ist, stellt ihn nicht zufrieden. Auch nicht, dass die Ursache ein sich stark ausbreitendes Virus ist. Er forscht verzweifelt nach einem tieferen Grund, dieser Märtyrer, die Suche nach dem Warum wird zur Manie, und er findet es entweder bei Gott oder in sich selbst oder – mysteriös und mystisch – in der schrecklichen Vereinigung dieser beiden zu einem einzigen Zerstörer. So sehr ich auch angesichts der Vielzahl der Schicksalsschläge, die über ihn hereingebrochen sind, mit ihm sympathisiere, muss ich doch sagen, dass das nichts als dumme Hybris ist – nicht die Hybris des Wollens oder Verlangens, sondern die Hybris eines phantastischen, kindischen Gottesbegriffs. Wir haben das alles schon einmal gehört und wollen es nicht mehr hören, selbst wenn es von einem durch und durch anständigen Menschen wie Bucky Cantor kommt.

»Und Sie, Arnie?«, fragte er. »Nicht verbittert?«

»Als ich Kinderlähmung gekriegt habe, war ich noch ein Junge, zwölf Jahre alt, halb so alt wie Sie. Ich war fast ein Jahr im Krankenhaus, der Älteste auf der Station, rings um mich her lauter kleinere Kinder, die weinten und nach ihren Eltern schrien – Tag und Nacht haben diese kleinen Kinder vergeblich auf ein Gesicht gewartet, das sie kannten. Sie fühlten sich allesamt verlassen. Damals habe ich viel Angst und Verzweiflung erfahren. Wenn man mit Streichholzbeinen aufwächst, erlebt man jede Menge Bitterkeit. Jahrelang habe ich nachts im Bett gelegen und mit meinen Gliedern gesprochen. ›Bewegt euch! Los, bewegt euch!‹, habe ich geflüstert. Ich war ein Jahr nicht in der Schule, und als ich wieder zurückkehrte, kam ich in eine andere Klasse. Und in der Highschool warteten noch ein paar harte Schläge auf mich. Die meisten Mädchen bemitleideten mich, die meisten Jungen gingen mir aus dem Weg. Ich saß sozusagen immer am Spielfeldrand und brütete vor mich hin. Eine Jugend am Spielfeldrand ist schmerzhaft. Ich wollte gehen können wie alle anderen. Wenn ich ihnen zusah, den Unversehrten, wie sie nach der Schule Baseball spielten, wollte ich schreien: ›Ich hab auch ein Recht darauf, herumzurennen!‹ Ich wurde ständig gequält von dem Gedanken, dass es ganz leicht anders hätte kommen können. Eine Weile wollte ich gar nicht mehr zur Schule gehen – ich wollte nicht den ganzen Tag daran erinnert werden, wie Jungen in meinem Alter aussahen und was sie konnten. Was ich wollte, war eine Winzigkeit: Ich wollte sein wie alle anderen. Sie kennen das. Ich werde nie mehr das sein, was ich früher war. Ich werde für den Rest meines Lebens das sein, was ich jetzt bin. Ich werde mich nie wieder freuen können.«

Bucky nickte. Er, der einst, für einen kurzen Augenblick auf dem Sprungturm in Camp Indian Hill, der glücklichste Mensch der Welt gewesen war, der in der entsetzlichen Hitze jenes vergifteten Sommers gehört hatte, wie Marcia Steinberg ihm am Telefon ein Schlaflied gesungen hatte, verstand nur zu gut, was ich meinte.

Ich erzählte ihm von meinem Zimmergenossen im ersten Jahr auf dem College. »Als ich in Rutgers war«, sagte ich, »bekam ich im Wohnheim den einzigen anderen jüdischen Studenten mit Kinderlähmung zugeteilt. So machte man das damals, wie auf der Arche Noah. Es ging ihm körperlich viel schlechter als mir. Er war grotesk deformiert. Pomerantz hieß er. Ein brillanter Stipendiat, Jahrgangsbester in der Highschool, hervorragende Noten in allen Seminaren, und ich konnte ihn nicht ausstehen. Er machte mich wahnsinnig. Er konnte einfach nicht aufhören. Konnte seine unstillbare Sehnsucht nach dem Pomerantz, der er vor der Polio gewesen war, nicht vergessen. Konnte nicht für einen einzigen Tag aufhören, die Ungerechtigkeit zu beklagen, die ihm widerfahren war. Redete immer und immer wieder davon, wie ein Besessener. ›Zuerst lernt man das Leben eines Krüppels kennen‹, sagte er. ›Das ist die erste Phase. Wenn man darüber hinweg ist, tut man das wenige, was man tun kann, um nicht seelisch zu sterben.

Das ist die zweite Phase. Danach müht man sich, nicht bloß einer zu sein, der die Qual erträgt, obwohl es genau das ist, was man wird. Und dann, fünfhundert Phasen später, wenn man in den Siebzigern ist, kann man, wenn man Glück hat, endlich mit einigem Wahrheitsanspruch sagen: ,Tja, ich hab's geschafft – ich hab mir nicht alles Leben aus den Knochen saugen lassen.' Und dann stirbt man.‹ Pomerantz hatte auf dem College hervorragende Noten und studierte dann Medizin. Und dann ist er gestorben – im ersten Jahr des Medizinstudiums hat er sich umgebracht.«

»Ich kann nicht behaupten«, sagte Bucky, »dass ich nicht auch mal mit dem Gedanken gespielt hätte.«

»Ich habe ebenfalls an Selbstmord gedacht«, sagte ich. »Aber mein Zustand war ja auch nicht so schlecht wie der von Pomerantz. Und dann hatte ich Glück, unerhörtes Glück: Im letzten Jahr auf dem College habe ich meine Frau kennengelernt. Und dann hörte die Kinderlähmung langsam auf, das einzige Drama zu sein, und ich gewöhnte mir ab, mit meinem Schicksal zu hadern. Ich lernte, dass die Tragödie, die ich 1944 in Weequahic durchlebt hatte, nicht unbedingt auch eine lebenslängliche persönliche Tragödie sein musste. Meine Frau ist mir seit achtzehn Jahren eine zärtliche, heitere Gefährtin. Sie hat viel bewirkt. Und wenn man Kinder hat, vergisst man, was das Schicksal einem zugefügt hat.«

»Ich bin sicher, Sie haben recht. Sie machen den Eindruck eines zufriedenen Menschen.«

»Wo leben Sie jetzt?«, fragte ich.

»Ich bin nach North Newark gezogen, in die Nähe des Branch Brook Parks. Die Möbel meiner Großmutter waren so alt und wacklig, dass ich sie nicht behalten habe. Ich bin eines

Samstags losgezogen und habe mir ein neues Bett, ein Sofa, Sessel, Lampen und so weiter gekauft. Ich habe eine gemütliche Wohnung.«

»Haben Sie Gesellschaft?«

»Ich bin nicht gern in Gesellschaft, Arnie. Ich gehe ins Kino. Ich sehe mir alle Filme an. Jeden Sonntag gehe ich nach Ironbound in ein gutes portugiesisches Restaurant. Bei schönem Wetter setze ich mich gern in den Park. Ich sehe fern. Ich sehe mir die Nachrichten an.«

Ich stellte mir vor, wie er all diese Dinge tat, allein, ein Liebeskranker, der versuchte, sich sonntags nicht nach Marcia Steinberg zu sehnen und sich werktags nicht einzubilden, er habe sie, zweiundzwanzig Jahre alt, auf einer Straße in der Innenstadt gesehen. Angesichts des jungen Mannes, der er gewesen war, hätte man ihm die Kraft zugetraut, auch mit einem schwereren Los fertigzuwerden. Doch dann stellte ich mir vor, was ich ohne meine Familie wäre, und fragte mich, ob mir ein solches Leben besser oder auch nur ebenso gut gelungen wäre. Kino und Arbeit und sonntags ein Essen im Restaurant – das klang in meinen Ohren entsetzlich trostlos.

»Sehen Sie sich Sportsendungen an?«

Er schüttelte den Kopf so energisch wie ein Kind auf die Frage, ob es mit Feuer spiele.

»Das verstehe ich«, sagte ich. »Als meine Kinder noch ganz klein waren und ich nicht mit ihnen auf dem Rasen herumlaufen konnte, und als sie dann älter waren und lernten, Fahrrad zu fahren, und ich sie nicht begleiten konnte, hat mich das sehr deprimiert. Man versucht, diese Gefühle zu unterdrücken, aber es ist nicht leicht.«

»Bevor ich die Zeitung lese, lege ich den Sportteil beiseite. Ich will ihn nicht mal sehen.«

»Haben Sie Ihren Freund Dave wiedergesehen, als er aus dem Krieg zurückkam?«

»Er hat einen Job an der Schule in Englewood bekommen und ist mit Frau und Kindern dorthin gezogen. Nein, ich habe ihn nicht wiedergesehen.« Er verfiel in Schweigen, und es war deutlich, dass er sich, allen stoischen Behauptungen des Gegenteils zum Trotz, nie auch nur ansatzweise daran gewöhnt hatte, so vieles verloren zu haben, dass er selbst siebenundzwanzig Jahre später noch darüber nachgrübelte, was geschehen und nicht geschehen war, und sein Bestes tat, nicht an eine Vielzahl von Dingen zu denken – unter anderem daran, dass er jetzt der Leiter der Sportabteilung der Weequahic Highschool gewesen wäre.

»Ich wollte Kindern helfen und sie stark machen«, sagte er schließlich, »aber statt dessen habe ich ihnen irreparablen Schaden zugefügt.« Das war der Gedanke, der sein jahrzehntelanges stummes Leiden geformt hatte, das Leiden eines Mannes, der keinerlei Leid verdient hatte. In diesem Augenblick sah er aus, als lebte er bereits seit siebentausend schamerfüllten Jahren auf dieser Erde. Ich nahm seine gesunde Hand – eine Hand, deren Muskeln funktionierten, die aber nicht mehr stark und kräftig war, eine Hand, die die Festigkeit einer weichen Frucht hatte – und sagte: »Die Polio hat den Schaden angerichtet. Sie waren nicht der Täter. Sie hatten mit der Ausbreitung der Krankheit so wenig zu tun wie Horace. Sie waren ebensosehr ein Opfer wie alle anderen.«

»Nein, Arnie. Ich erinnere mich an einen Abend, an dem Mr. Blomback den Jungen von den Indianern erzählte. Er sagte, die Indianer hätten geglaubt, dass bestimmte Krankheiten von einem bösen Geist stammten, der unsichtbare Pfeile verschoss –«

»*Nicht*. Sprechen Sie nicht weiter, bitte. Das ist eine Lagerfeuergeschichte für Kinder. Wahrscheinlich kommt darin auch ein Medizinmann vor, der den bösen Geist vertreibt. Sie waren *nicht* dieser böse Geist. Sie waren auch nicht der Pfeil, verdammt. Sie waren nicht der Überbringer von Verkrüppelung und Tod. Und wenn Sie nicht aufhören können, sich als Täter zu sehen, dann wiederhole ich: Sie waren ein ganz und gar unschuldiger Täter.«

Und dann – als könnte ich allein durch den starken Wunsch nach einem Sinneswandel einen solchen in ihm bewirken; als könnte ich ihn nach diesen mittäglichen Gesprächen endlich dazu bringen, sich als etwas anderes als die Summe seiner Mängel zu betrachten und sich von der Scham zu befreien; als stünde es in meiner Macht, den Sportlehrer von früher wiederzubeleben, der ganz allein die zehn Italiener vertrieben hatte, die uns mit der Drohung, die Polio unter den Juden zu verbreiten, hatten Angst einjagen wollen – sagte ich heftig: »Stellen Sie sich nicht gegen sich selbst! Die Welt ist grausam genug. Machen Sie sie nicht noch schlimmer, indem Sie sich zum Sündenbock erklären.«

Aber niemand ist so unrettbar verloren wie ein gescheiterter guter Junge. Er lebte schon viel zu lange mit seiner eigenen Sicht der Dinge – und ohne all das, was er sich immer so leidenschaftlich gewünscht hatte –, als dass es mir hätte gelingen können, seine Interpretation der schrecklichen Ereignisse in seinem Leben oder seine Haltung dazu zu verändern. Bucky war weder hochintelligent – das hatte er als Sportlehrer auch nicht sein müssen – noch im Entferntesten unbekümmert. Er war ein weitgehend humorloser Mann, der sich zwar ausdrücken konnte, aber nicht geistreich war, der nie etwas Satirisches oder Ironisches sagte und kaum je einen Witz machte oder im Scherz sprach. Er wurde von einem übersteigerten Pflichtgefühl getrieben, besaß aber zu wenig geistige Statur, und dafür hatte er einen hohen Preis bezahlt, indem er seiner Geschichte eine durch und durch düstere, strafende Bedeutung verliehen hatte, die im Lauf der Zeit immer größer geworden war und sein Unglück verschlimmert hatte. Das Wüten der Epidemie auf dem Sportplatz und im Sommercamp erschien ihm nicht wie ein böser Streich der Natur, sondern wie ein großes, von ihm selbst verübtes Verbrechen, das ihm alles genommen und sein Leben zerstört hatte. Das Schuldgefühl, das jemand wie Bucky empfindet, mag absurd erscheinen, ist in Wirklichkeit aber unvermeidlich. Ein solcher Mensch ist verdammt. Nichts, was er tut, reicht an sein Ideal heran. Er weiß nie, wo seine Verantwortlichkeit endet. Er glaubt nicht an seine Grenzen, denn da er mit einem strengen Gefühl für das moralisch Richtige beladen ist, das es ihm nicht erlaubt, sich mit dem Leiden anderer abzufinden, kann er nicht ohne Schuldgefühle anerkennen, dass seiner Kraft Grenzen gesetzt sind. Der größte Triumph eines solchen Menschen ist es, die Frau, die er liebt, vor einem verkrüppelten Ehemann zu bewahren, und sein Heldentum besteht darin, dass er sich, indem er diese Frau aufgibt, die Erfüllung seiner größten Sehnsucht versagt.

Wäre er nicht vor der Herausforderung auf dem Sportplatz geflohen, hätte er die Jungen von der Chancellor Avenue School nicht wenige Tage, bevor die Sportplätze geschlossen wurden, verlassen – und wäre nicht sein bester Freund im Krieg gefallen –, dann hätte er sich vielleicht nicht so bereitwillig die Schuld an diesen schrecklichen Ereignissen gegeben und wäre nicht einer der Menschen geworden, die von der Zeit zermahlen werden. Wenn er den anderen Weg gewählt hätte, wenn er geblieben wäre und diese kollektive Prüfung der Juden von Weequahic ertragen hätte, ganz gleich, was ihm dabei hätte passieren können, wenn er die Epidemie mannhaft bis zum Schluss durchgestanden hätte …

Aber vielleicht wäre er ganz unabhängig davon, wo er sich damals aufgehalten hatte, zu seiner Sicht der Dinge gelangt und vielleicht – das können weder ich noch Epidemologen beantworten – sogar zu Recht. Vielleicht irrte er sich nicht. Vielleicht hatten sein Unverständnis und Misstrauen gegen sich selbst seine Gedanken keineswegs getrübt. Vielleicht waren seine Behauptungen gar nicht so unlogisch. Vielleicht hatte er keine falschen Schlüsse gezogen. Vielleicht war er tatsächliche der unsichtbare Pfeil gewesen.

Und doch – damals, mit dreiundzwanzig, war er für uns Jungen das größte Vorbild, die höchste Autorität: ein junger Mann mit Überzeugungen, entspannt, freundlich, fair, taktvoll, stark, umsichtig, belastbar, sanft und ebenso Kamerad wie Anführer. Und nie erschien er uns strahlender als an jenem Nachmittag Ende Juni '44 – kurz bevor die Epidemie über Newark hereinbrach, kurz bevor die Körper und das Leben nicht weniger von uns sich drastisch veränderten –, als wir ihm über die Straße und ein Stück weit den Hügel hinunter zu dem Platz folgten, auf dem die Highschool-Mannschaften trainierten und wo er uns zeigen wollte, wie man einen Speer warf. Er hatte seine eng anliegenden Shorts, ein ärmelloses Trikot und mit Spikes versehene Schuhe angezogen, trug den Speer lässig in der rechten Hand und führte uns an.

Das Stadion war leer, und er ließ uns auf der Seite, an der die Chancellor Avenue vorbeiführte, entlang der Außenlinie Aufstellung nehmen, und dann durfte jeder den Speer untersuchen und in der Hand wiegen, eine schlanke Metallstange, etwas weniger als ein Kilo schwer und knapp zweieinhalb Meter lang. Mr. Cantor zeigte uns, wie man ihn halten konnte und welchen Griff er bevorzugte. Er erzählte uns von der Geschichte des Speerwerfens: wie es in der Frühzeit der Menschheit begonnen habe, vor der Erfindung von Pfeil und Bogen, als man mit dem Speer auf die Jagd gegangen sei, und dass das Speerwerfen im achten Jahrhundert vor Christus bei den alten Griechen zu den Disziplinen der ersten Olympischen Spiele gehört habe. Der erste Speerwerfer sei Herakles gewesen, der große Krieger und Bezwinger von Ungeheuern, der stärkste Mann der Welt, der Sohn von Zeus, dem höchsten Gott der Griechen. Dann sagte er, er werde sich jetzt aufwärmen. Das dauerte etwa zwanzig Minuten, und einige der Jungen ahmten seine Streckübungen nach. Es sei besonders wichtig, sagte er und ging mit gespreizten Beinen tief in die Knie, die Unterleibsmuskeln zu dehnen, denn dort könne es leicht zu Zerrungen kommen. Bei vielen Übungen setzte er den Speer als Stock ein, etwa indem er ihn sich wie ein Joch auf die Schultern legte und sich beugte und streckte, kniete und hockte, hüpfte und sprang und seinen Oberkörper dabei nach links und rechts drehte. Er machte einen Handstand und beschrieb auf Händen einen großen Kreis, und einige Jungen versuchten, es ihm nachzutun. Sein Mund war nur Zentimeter über dem Boden, als er uns sagte, diese Übung diene dem Training seines Oberkörpers – ebensogut könne er sich an eine Reckstange hängen. Zum Schluß machte einige Rumpfbeugen vorn- und hintenüber, wobei seine Fersen auf dem Boden blieben und er die Hüfte erstaunlich hoch reckte. Als er sagte, er werde jetzt zwei schnelle Runden um das Spielfeld drehen, rannten wir ihm nach. Zwar konnten wir kaum mit ihm Schritt halten, doch wir taten, als wären wir diejenigen, die sich für den Wurf aufwärmten. Dann übte er ein paar Minuten lang den Anlauf, ohne den Speer zu werfen – er hielt ihn nur waagrecht in der erhobenen Hand, so dass die Spitze nach vorn zeigte.

Als er bereit war, erklärte er uns, worauf wir beim Anlauf, bei den Sprüngen und dem anschließenden Wurf achten sollten. Ohne den Speer führte er uns den ganzen Bewegungsablauf in Zeitlupe vor und beschrieb dabei, was er tat. »Es ist keine Zauberei, Jungs, aber leicht ist es auch nicht. Wenn ihr viel übt und euch anstrengt, wenn ihr regelmäßig erstens das Gleichgewichtsgefühl, zweitens die Beweglichkeit und drittens die Schnellkraft verbessert, wenn ihr das Krafttraining nicht vernachlässigt und Speerwerfen euch wirklich etwas bedeutet, dann wird eure Mühe belohnt werden, das garantiere ich euch. Beim Sport kommt es vor allem auf Entschlossenheit an. Auf Entschlossenheit, Beharrlichkeit und Disziplin.«

Schließlich sagte er uns, wie immer auf Sicherheit bedacht, dass keiner von uns das Spielfeld betreten dürfe; wir sollten von dort, wo wir waren, zusehen. Das sagte er zweimal. Er sagte es todernst, und dieser Ernst war Ausdruck seines vollkommenen Aufgehens in dem, was er sich vorgenommen hatte.

Und dann warf er den Speer. Als er ihn losließ, zeichnete sich jeder einzelne Muskel ab. Er stieß einen halb erstickten

Schrei der Anstrengung aus (den wir noch tagelang nachahmten), einen Schrei, der den Kern seines Wesens zum Ausdruck brachte: Es war der nackte Schlachtruf des Strebens nach Vortrefflichkeit. Sobald er den Speer losgelassen hatte, tanzte er hüpfend auf der Stelle, um das Gleichgewicht zu bewahren und die Linie, die er mit dem Schuh in den Staub gezogen hatte, nicht zu überschreiten. Und die ganze Zeit sah er dem Speer nach, der in einem perfekten Bogen hoch über das Spielfeld flog. Keiner von uns hatte jemals mit eigenen Augen etwas so Kraftvoll-Schönes gesehen. Der Speer flog und flog und flog, weit über die Fünfzig-Yard-Linie hinaus ins gegnerische Feld, und als er fiel und landete, bohrte sich die Metallspitze durch die Wucht des Fluges schräg in die Erde, und der Schaft bebte noch sekundenlang nach.

Wir jubelten und sprangen in die Luft. Die gesamte Flugbahn des Speers hatte ihren Ursprung in Mr. Cantors geschmeidigen Muskeln. Er war der Körper – er war die Füße, die Beine, das Hinterteil, der Rumpf, die Schultern, die Arme, ja selbst der kräftige Nacken, die allesamt zusammengewirkt und diesen Wurf ermöglicht hatten. Es war, als hätte unser Sportlehrer sich in einen Eingeborenen verwandelt, der auf die Jagd ging, einen Eingeborenen, der mit der Kraft seiner Hände die Wildnis zu zähmen vermochte. Nie hatten wir mehr Ehrfurcht vor jemandem empfunden. Durch ihn hatten wir Jungen die kleine Geschichte unseres Viertels verlassen und waren eingetreten in die historische Saga unseres uralten Geschlechts.

An jenem Nachmittag warf er den Speer noch mehrere Male. Jeder Wurf war elegant und kraftvoll, jeder wurde begleitet von jener durchdringenden Mischung aus Schrei und

Stöhnen, und zu unserer Begeisterung flog der Speer jedesmal ein paar Meter weiter als zuvor. Wenn er, den Speer hoch erhoben, anlief, mit dem Wurfarm weit ausholte, ihn über die Schulter nach vorn riss und den Speer wie in einer Explosion losließ, erschien er uns unbesiegbar.

Danksagung

Zu den Quellen, die ich herangezogen habe, gehören *The Throws Manual* von George D. Dunn, Jr. und Kevin McGill, *The Encyclopedia of Religion*, herausgegeben von Mircea Eliade, *Teaching Springboard Diving* von Anne Ross Fairbanks, *Camp Management* und *Recreational Programs for Summer Camps* von H.W. Gibson, *Dirt and Disease* von Naomi Rogers, *Polio's Legacy* von Edmund J. Sass, *A Paralyzing Fear* von Nina Gilden Seavey, Jane S. Smith und Paul Wagner, *Polio Voices* von Julie Silver und Daniel Wilson sowie *A Manufactured Wilderness* von Abigail Van Slyck. Besonders nützlich waren *The Book of Woodcraft* von Ernest Thompson Seton, aus dem ich auf den Seiten 163–168 ausführlich zitiere, und *Manual of the Woodcraft Indians*, ebenfalls von Seton, zitiert auf den Seiten 116–117.